이직 후 첫 일주일,
아무도 나를 도와주지 않는다

이직 후 첫 일주일, 아무도 나를 도와주지 않는다

발행 | 2023년 12월 25일
저 자 | 최철웅
펴낸이 | 한건희
펴낸곳 | 주식회사 부크크
출판사등록 | 2014.07.15.(제2014-16호)
주 소 | 서울특별시 금천구 가산디지털1로 119 SK트윈타워 A동 305호
전 화 | 1670-8316
이메일 | info@bookk.co.kr

ISBN | 979-11-410-6030-5

www.bookk.co.kr

본 책은 본고딕, 본명조, 에스고딕, 에스명조, 나눔고딕, 나눔명조, 마포금빛나루, 마포꽃섬, 나눔스퀘어라운드 글꼴을 사용하여 제작되었습니다.

이직 후 첫 일주일,
아무도 나를 도와주지 않는다

지은이 최철웅

Contents

1부

Observation

관찰하라

2부

Desire

계획하라

Contents

3부

Implement
실행하라

4부

Evaluate
평가하라

서문

커리어 생존을 위한 조직 적응과 이직 전략

좋은 조건으로 스카우트되어 회사를 옮겼다.

그런데 한 달도 안 되어 회사에서 나의 실력을 보여주라고 재촉한다.

원수 같은 상사로부터 탈출하여 회사를 옮겼다.

그런데 그 상사와 비슷한 사람이 이곳에도 있다.

새롭게 팀장이 되어 팀을 꾸리고 팀원을 선도해야 한다.

그런데 팀원들이 하나같이 협조를 해주지 않는다.

이직 후 첫 번째 일주일, 아무도 도와주지 않는다.

이런 상황에서 어떻게 해야 할까? 누구에게 조언을 구해야 할까?

지난 20여 년이 넘는 직장생활 동안 회사를 십여 차례 옮겼다.

그런데 매번 이직하고 난 후 일주일 정도가 지나면 생기는 의문이 있었다.

"왜, 아무도 내게 이 회사에 어떻게 적응해야 하는지 안 알려주지?"

회사에 입사하여 참석한 신규 입사자 교육에서도 직속 상사와의 대화 중에도 혹은 주변의 동료 누구도 말해주지 못했다. "이 회사에선 이렇게 해야 살아남아요"

어떻게 하면 이 회사에 제대로 적응할 수 있는지 알고 싶었다. 그래서 많이 배우고 좋은 사람들과 관계를 맺어서 오랫동안 근무하고 싶었다. 시중에 나와 있는 책이나 온라인상의 정보로는 도저히 이해할 수가 없었다. 회사의 조직문화, 분위기 그리고 업무 외적으로는 너무도 착하고 친절하던 사람들이 왜 업무적으로 만나면 적이 되는지 알 수 없었다.

직장 안에서 원활하게 생존하는 방법에 대해서 고민하기 시작했다. 필자의 고민과 경험이 같은 상황을 겪고 있는 사람에게 조금이나마 도움이 되기를 간절히 바라는 마음으로 이 글을 썼다.

경력직으로 이직하려는 사람은 좀 더 성공적으로 조직에 적응하고, 이직에 실패하여 낙담하고 있는 사람은 과거를 바탕으로 더욱 나은 미래를 준비하기를 바란다. 또한, 취업을 준비하고 있는 취업준비생이 회사라는 조직에 대해 조금이나마 미리 알 수 있도록 돕고 싶다.

그동안 현장에서 커리어생존코칭을 해 오면서 만난 다양한 고객에게 필자가 습득한 모든 지식과 노하우 즉, 컨설팅기법과 코칭기법 그리고 커뮤니케이션 기법을 동원해서 도왔다. 나아가 명리학의 생년월일로 따져보는 성향까지 파악해서 활용했다. 그럼에도 필자의 주관적인 경험을 바탕으로 쓰였기 때문에 닥쳐온 상황이나 사례를 접하면서 본인의 상황이나 사례에 응용하기를 권한다.

또한 ODIE Observation-Desire-Implement-Evaluate 프로세스를 만들어 이직이나 조직생존이 필요한 경우, 단계별로 하나씩 검토해 볼 수 있는 체계를 제공했다. ODIE는 필자가 전공한 디자인경영의 프로세스를 응용해서 만들었음을 알려둔다.

그동안 조직생활을 하면서 만난 조직의 대표이사, 상사와 동료 그리고 후배들이 아니었다면 이 글은 나오지 못했을 것이다. 그들이 제공해 준 모든 배움의 기회에 감사를 전한다.

이 책의 출판은 전적으로 권윤구 코치 덕분이다. 책 집필을 적극 독려하고 글을 마칠 수 있도록 지속적인 관심과 건설적인 피드백을 해주었다. 필자를 컨설턴트의 길로 이끌어 주신 영원한 멘토인 한근태 교수께 감사드린다. 필자의 평생도반인 김범진, 임민정, 김명주에게도 감사드린다. 20년 전 만나 젊은 날의 고민과 열정을 코칭이란 분야에 함께 쏟아부었고 각자의 길에서 멋진 코치이자 직장인으로 살아가고 있다. CiT의 박정영 대표께도 감사드린다. 까마득한 후배임에도 항상 동료로서 대해주시고 어떤 경우에도 상대를 배려하며 기다려 주시는 인내심과 평정심을 대표님을 통해서 배웠다. 멘토코치로서 항상 힘을 주신 이영혜 코치, 이재경 코치께 마음 속에 있던 감사를 이제나마 드린다. 아울러 최고의 회사를 소개해 주셨던 홍순옥 누님께도 다시 한 번 감사드린다. 프랭클린플래너코리아의 이성록 대표가 아니었다면 커리어생존코치의 길로 들어설 때 많은 시행착오를 겪었을 것이다. 길을 내주고 자리를 마련해준 배려 덕분에 여기까지 왔다. 프로필 사진을 찍어 준 평생의 등산 친구이자 술친구인 이재석에게도 고마움을 전한다.

평생동안 필자의 선택과 행동을 조건없이 묵묵히 지지해 준 부모님과 가족에게 고개 숙여 감사드린다. 마지막으로 언젠가 이 책을 읽고 사회에 첫발을 내디딜 사랑하는 나의 딸을 응원한다.

최철웅 symmona@naver.com.

한국과 캐나다를 오고가며 공간의 제약없이 살아가는 것이 목표인 사람. 한국에서 20여년간 인사교육, 조직문화, 채용분야에서 일했다. 다양한 회사에서 근무하고 이직했던 경험을 바탕으로 커리어 생존코치로써 사람들을 돕고 있다. 캐나다로 이주하여서 조직의 적응뿐만 아니라 새로운 나라에 적응하는 것을 몸소 실천하며 산다.

https://blog.naver.com/symmona

1부 Observation 관찰하라

1.

기회는 언제 어디서 올지 모른다

파나마에서 처음 사회생활을 시작하고 1년이 지나 한국에 귀국했다. 회사와의 계약이 종료되어 귀국은 했으나 갑작스럽게 결정이 된 일이라 그동안 딱히 생각해 놓은 목표는 없었다. 귀국 직후에는 1년 동안의 생활 때문에 지친 심신도 달랠 겸 몇 달이라도 맘 편히 놀기로 마음먹었다. 그러나 현실은 녹록지 않았다. 한 달을 넘게 집안에서 뒹굴뒹굴하니 답답하기도 하고 조급해지기도 했다. 당시에는 인생에 대해 대단한 비전이나 명확한 목표가 없었다. 결국, 다시 일자리를 찾기로 했다. 지금까지 했던 무역이나 국외영업으로 지원할까 고민하다가 돈에 대해서 배우면 향 후에 사업하거나 인생을 살아가는 데 도움이 될 수 있겠다는 생각이 들었다. 세상을 몰라도 한참 모르던 때였다.

그날부터 돈과 관련된 일을 하는 업무를 집중적으로 찾기 시작했다. 그러다가 지금은 대기업이 된 중견기업의 재무본부 자금팀 일원을 뽑는 채용공고를 알게 되었다. 맘에 드는 채용 공고였다. 문제는 필자의 대학 시절 재무과목 학점이 형편없었고 사회생활에서의 재무 쪽 경험이 전혀 없다는 점이었다. 며칠 뒤 서류가 통과되었으니 면접을 오라는 연락이 왔다. 당황스러웠다. 자기소개서를 저장조차 하지 않았던 것이다. 무슨 말을 적었는지 정도는 알고 가야 면접 시에 대답이라도 할 텐데 도무지 기억이 나질 않았다. 하지만 이력서에 거짓말을 적진 않았고 짧은 1년의 사회경력이 기억 못 할 정도로 거창한 것도 아니었다. 최선은 다하자는 마음을 단단히 먹고 면접에 갔다.

면접관은 총 3명이었는데 자금업무에 대한 경험, 학부에서의 재무 쪽 공부실력에 대해 질문하였고 솔직히 답변했다. 그런데 면접 중에 특이하게도 영어로 자기소개를 해보라고 했다. 예상치 못했던 상황이라 문법이나 적절한 문장을 구사하기는커녕 입에서 나오는 대로 답변을 했다. 그렇게 면접을 마치고 며칠 후 1차 면접에 합격했다는 연락이 왔다. 2차 면접을 오라고 했다. 2차 면접을 가니 지난번 1차 면접 때의 면접관 2명과 함께 추가로 한 명의 신규 면접관이 더 들어와 앉아 있었다. 새로운 얼굴의 면접관이 대뜸 영어로 질문했다. 질문내용은 그렇게 어렵지 않았다. 가장 감명 깊게 본 영화가 뭐냐, 지난주에는 무엇을 했느냐 등이었다. 솔직히 고백하자면 필자의 영어수준은 높지 않았다. 문법은 거의 맞지 않고 단어를 활용하는 수준도 높지 못했다. 그럼에도 겁내지 않고 말하는 자신감은 파나마에서의 1년 생활 동안 몸으로 배운 실전영어 덕분이었던 거 같다. 그렇게 필자는 자금팀에 합격했다.

합격 후 얼마 안 가서 면접에서 재무실력을 별로 보지 않고 한 번도 적용하지 않던 영어면접을 본 이유를 알게 되었다. 필자의 채용이 있기 한 달 전에 스위스에서 고위임원이 회사에 방문했다. 회사의 주요보직에 있는 임원들이 참석하는 저녁 식사 자리가 마련되었고 그 자리에 필자의 상사인 재경 부문 임원도 참석하였다. 그런데 재경 부문 임원은 영어를 거의 못했다. 그날 재경 부문 임원은 꿀 먹은 벙어리가 되어 멋진 영어로 스위스인과 대화하는 국외영업 담당 임원의 입만 바라보고 있었다. 그날 직후 임원이 내린 신규 입사자 채용 시의 첫 번째 우선순위가 바로 영어가

가능한 사람을 선발할 것이었다.

당시 국내기업 재경 부문에서 일하는 사람들 즉, 자금이나 회계업무를 하는 사람들은 영어의 필요성을 거의 느끼지 못했다. 물론 증권이나 금융 등 국외 쪽과 일을 해야 하는 분야는 상황이 다르겠지만 2000년대 초반만 해도 일반적인 국내기업의 자금, 회계 등의 업무에 종사하는 사람들에게 영어는 거의 쓸 일이 없었다. 그렇기에 선발하는 사람이나 지원하는 사람이나 영어에 대해서는 그다지 민감하지 않았고 다만 서류전형 시의 합격선 정도로만 활용될 뿐이었다. 그랬던 시기에 임원의 영어사건이 터졌고 그때 마침 필자가 지원했고 어이없게도 상대적으로 다른 지원자보다 영어점수가 높았던 것이다.

이런 속사정을 어떻게 알 수 있었겠는가? 아무리 내부자가 정보를 준다고 하더라도 이런 정보를 어디서 얻을 수 있겠는가? 물론 이런 영어실력을 1순위로 보는 재무부문의 채용기준은 필자 이후 사라졌다.

이 경험은 필자에게 큰 깨달음을 주었다. 그로부터 몇 년 후 이직을 할 때마다 필자는 서류를 통과하고 면접에 간다면 그게 어떤 상황이든 온 정성을 다해서 임했다. 집에 와서 쫙 뻗을 정도로 온 힘을 기울였다. 한 회사에 입사하기 위한 면접 때 해당 회사의 CEO로부터 너무 어렵고 많은 질문을 받은 후 면접을 마치고 나오자마자 길거리에서 위경련을 일으켰던 적도 있다. 그런데 이런 노력을 통해 후회는 남지 않게 되었다.

필자가 그때의 경험을 통해서 가장 크게 배운 점은 언제 어디서 어떤 기회가 올지 모른다는 점이다. 그리고 그것보다 더 중요한 것은 무엇을 하던 일단 시작을 해 봐야 한다는 점이다.

필자가 아무리 영어실력이 좋았던들 학부 때의 회계실력이 걱정되어 지원하지 않았다면, 이런저런 고민 탓에 면접에 가지 않았다면 합격은 물론이고 전력을 기울이는 자세도 배울 수 없었을 것이다. 자금팀 업무를 통하여 아이러니하게도 재무 쪽 일은 맞지 않는다는 점을 배웠다. 그 후 아무리 높은 연봉, 좋은 조건이 있을지라도 재무 쪽으로는 눈을 돌리지 않았다. 이것 또한 시도해서 직접 그 세계에 몸담아 봤기에 알 수 있는 값진 경험이다.

영업직으로 입사한 한 후배가 있었다. 신입사원이기에 그 후배의 영업실력은 아무리 후하게 쳐준다 해도 그다지 좋지 않았다. 그래서 후배는 영업팀 내에서 영업사원들을 지원하는 업무를 담당했다. 본인이 생각하는 업무와는 달

랐기에 고생은 고생대로 하고 재미는 재미대로 없었다. 그럼에도 어느 날부터 인가 후배는 회사에서 일어나는 대소사를 본인의 페이스북에 올리기 시작했다. 오늘은 회사의 등반대회날, 오늘은 설명회 날 등 행사가 있을 때마다 과장되지 않는 선에서 잘 포장된 사진이나 영상을 올리기 시작했다. 어느 사람도 시키지 않은 일이었다. 결국, 후배는 1년 후 CEO에게 직접 발탁되어서 마케팅팀으로 옮기게 되었고 지금은 본인이 하고 싶은 일을 맘껏 하고 있다.

대부분의 성공적인 이직은 함께 일했던 사람의 소개로 이루어지는 경우가 많다. 함께 일했던 사람이 당신을 소개하는 이유는 해당하는 일을 잘하는 것은 기본일 뿐더러 당신이 그 시절에 보여주었던 여러 가지 모습이 좋은 기억으로 남아있기 때문이다. 누구도 일은 잘하는 사람인데 타인과의 협업이 부족하거나 애매한 사람을 자신이 아는 다른 사람에게 소개해주지 않는다.

지금 당장 생각해보자. 누군가가 당신에게 어느 좋은 회사나 자리에 추천해준다면 과연 어떤 이유에서 그럴까? 또한, 당신이 지금 누군가에게 추천해줄 수 있는 사람은 누구인가? 왜 그 사람인가?

이직코칭

1. 당장 추천해주고 싶은 동료나 지인을 생각해봅니다. 그 사람의 어떤 점 때문에 추천해 줄 수 있나요?
2. 본인의 어떤 점 때문에 누군가에게 추천받으면 좋겠습니까?
3. 그 동안 회사생활을 하면서 경험했던 우연한 기회였는데 최선을 다한 경우를 적어봅니다.

2.

나에게 맞는 직장은 진짜 있는가?

직장생활 20년여 동안 약 10번 정도 회사를 옮겼다. 평균적으로는 약 2년마다 한 번씩 옮긴 꼴인데 대부분 조직에서 좋은 경험을 쌓았고 연봉도 올랐다. 그럼에도 그 와중에는 사장에게 속아서 월급도 못 받고 한 달 반 만에 나온 직장도 있고 정치적인 이유로 몸담았던 조직이 공중분해가 된 때도 있었다. 돌이켜 보면 무조건 좋았던 것도 아니고 그렇다고 무조건 나쁜 것만도 아니었다.

필자에게 있어서 이직할 때의 최우선적인 선택기준은 조직에서 배울 점이 있는가였다. 특히 30대 초반에는 배울 점이 있는 조직이라면 연봉도 상관하지 않고 옮겼다. 결혼하고 나서는 기준이 조금 더 복잡해졌다. 그냥 단순히 배움의 기회가 있는 것만으로는 선택할 수 있는 여지가 줄어들었다. 경제적인 상황과 육아환경이 현실적인 기준으로 추가되었다. 가령, 필자가 사는 지역보다 너무 멀어서 집을 이사해야 한다든지, 기본적인 연봉이 현격히 줄어든다든지 하는 부분에서는 가족을 생각할 수밖에 없었다. 아이가 태어나고부터는 경제적인 부분 외에도 출퇴근의 자유가 어느 정도 보장되는가가 민감한 판단 기준이 되었다.

결국 필자를 이직과 조직문화의 전문가로 성장하게 한 동력은 아이러니하지만 잦은 이직이었다. 무언가를 배우는 방법은 여러 가지가 있다. 학교나 전문가를 만나서 배우는 방법, 혼자 스스로 책이나 자료를 보면서 배우는 방법 그리고 직접 몸으로 체험하고 체득하는 방법이 필자가 생각한 배우는 방법이었다. 세 가지의 방법이 모두 같이 이루어지는데 그중에서 필자는 몸으로 직접 경험하는 방법으로 가장 많이 배웠다. 그렇기에 한 직장에 신입사원으로 입사하여 10년, 20년 장기근속해서 그곳에서 젊음을 함께 보내고 승진하는 경험을 하지 못하리라는 것을 오래전에 이미 깨달았다. 한 직장에서 계속 근무하는 주변의 친구들을 보면 부럽다. 반드시 필자가 모르는 다른 경험을 할 것이기 때문이다. 그렇지만 몸으로 직접 체험하며 배워가는 방법은 수많은 조직을 경험하게 해주었다. 많고 다양한 부류의 사람들을 만나게 해주었다. 그런 교류를 통하여 필자는 조직생활을 배웠다. 특히, 인사Human Resource분야의 일을 배우는 데는 훨씬 더 강력한 효과가 있었다. 재무팀과 영업팀은 일하는 방식이 다르다. 업무내용은 당연히 다른데 일하는 사람들의 성향이 꽤 다르다. 재무팀은 방어적이고 영업팀은 공격적인 면이 있다. 말하는 투나 회식하는 분위기도 다르다.

몇 년 전 기업의 평생학습체계를 구축하는 정부주관의 컨설팅사업을 약 4년여 간 수행하였다. 컨설팅은 실제로 해당 기업이나 기관에 1주일에 한 번씩 방문해서 총 12회 정도 현장에서 내부 직원들과 회의체를 구성하여 직무를 분석하고 학습체계를 구축해주는 작업이었다.

필자는 서비스업종의 팀장을 맡고 있었기에 실제로 현장에서 직접 컨설팅을 수행하기도 했고 팀장으로서 타 팀원의 방문회사에 동행하여 회의를 이끌기도 하였다. 그 기간에 약 200여 개의 회사와 기관의 속사정을 알게 되는 소중한 경험을 했다. 약 4년간의 컨설팅을 하면서 깨달은 바는 이 세상에 누구나 만족하는 회사는 없다는 것이다.

회사를 경영하는 걸 너무 버거워하는 대표이사들도 많이 만났고 과로에 찌든 직원들도 항상 볼 수 있었다. 한편 월급을 받으면서도 영혼 없이 회사에 다니는 수많은 사람도 접했다.

누구의 문제가 아니라 구조적으로 조직이란 생명체 자체가 가진 한계 때문이다. 가령, 복지관이란 조직에 대해서 필자가 컨설팅하기 전 가지고 있던 선입견은 복지사는 항상 웃는다. 복지사는 사명감으로 산다였다. 복지사의 조직에 대한 헌신과 사회적 약자에 대한 사명감은 의당 일반기업의 그것에 비교할 바가 안된다. 그러나 솔직한 말로 복지사가 받는 경제적인 보상은 금융업계 종사자가 받는 그것과 상당한 차이가 난다. 그 괴리감을 뻔히 알면서도 컨설팅을 하면서 같은 잣대를 적용할 수는 없었고 그래서 고민하며 공부했다.

나에게 맞는 직장이란 게 있긴 있는 걸까? 내가 평생 행복해하면서 영위할 직업이란 게 있다면 과연 무엇인가? 우둔했지만 천직을 찾기 위해서 필자는 몇 가지 시도를 했다.

우선, 필자 자신을 알려고 했다. 시중에 나와 있는 자기계발 서적을 대부분 다 읽었다. 그리고 개인의 기질과 성향을 알 수 있는 성향 및 적성검사를 직접 해보았다. 기회가 닿는 한 워크숍에 참석해서 비슷하다는 유형의 사람들을 만나보면서 필자는 어떤 유형의 사람인지 알려고 노력했다. 현재까지도 그 관심은 명리학에서 말하는 타고난 성향에 대한 공부로까지 이어지고 있다.

두 번째로는 사람들에게 질문했다.

그 동안 저와 일하시면서 느낀 저의 가장 뛰어난 업무적 역량은 무엇입니까?

실제로 저와의 업무경험 동안 느꼈던 그런 사례가 있다면 알려주세요.

저는 어떤 종류의 일을 하면 잘 어울릴까요?

첫 직장의 동료, 공식적인 업무를 통해서 만난 사람 중 그래도 필자에게 편안히 이야기해줄 수 있는 몇몇 분들에게 사전예고도 없이 이메일을 보냈다. 솔직히, 이메일을 보낼 때 대단히 부끄러웠다. 이를 통하여 필자는 감사하게도 몇 분으로부터 소중한 답변을 받았다. 이런 과정들을 통하여 깨달은 사실은 자신에게 맞는 직장보다는 자신에게 맞는 직업이 더 중요하다는 점이었다.

결국 이것은 어떻게 살 것인가에 대한 궁극적인 물음과 관련이 깊다. 긴 인생을 어떻게 살아갈 것인가? 가치를 실현하고 경제적인 생활을 영위하기 위한 수단으로서의 직업을 어떻게 선택하고 만들어갈 것인가에 대하여 진지하게 고민해야 한다. 고민하고 고민하면 마음이 답을 알려준다는 말이 있다. 얼마나 절실한가? 그 절실함이 당신을 이끌어 줄 것이다.

이직코칭

1. 그 동안 다녔던 직장 중 가장 행복했던 직장은 어떤 곳이었나요?
2. 어떤 점 때문에 그 직장에서 행복했는지 자세히 적어봅니다.
3. 지금 본인이 일하는 업무를 타인에게 설명할 수 있게 한 문장으로 적어봅니다.

3.

나의 상사를 나는 이길 수 없다

회사에서 가장 많은 시간을 보내는 사람이 누구인가? 물리적으로 옆에 앉아있는 동료인가? 업무를 함께 하는 선후배인가? 그렇다면 물리적인 시간 말고 업무적으로 가장 많은 시간을 보내야 하는 사람은 누구인가? 업무적인 시간이라는 말은 본인이 하는 일의 과정을 가장 많이 의논하고 작성하는 문서를 검토해주고 결국에는 보고를 받는 사람이 누구인가를 의미한다.

바로 상사이다. 그런데 상사는 나에게 있어서 어떤 존재인가? 내가 진심으로 존경하고 배우고 싶은 사람인가? 세상에 어떻게 저런 사람이 이 자리까지 왔는지 궁금한 사람인가?

회사생활에서 가장 중요한 스승은 상사이다. 어떤 상사를 만나느냐에 따라서 인생이 달라질 수 있다. 그런데 그런 기회를 맞게 되는 모든 사람이 다 좋다고 환영을 할까? 그렇지 않을 것이다. 매우 힘들게 어떤 일을 시키고 보고서를 다시 번복시키고 새로운 과제를 부여하는 상사를 대하면서 '아, 정말 좋은 가르침이다. 좋은 기회구나'라고 생각하기는 쉽지 않다. 힘들고 괴롭다. 때론 도망가고 싶고 상사에게 직접 하라고 말하고 싶은 때가 한두 번이 아니다. 그런 시간이 지나고 몇 년이 지난 후에야 그때의 상사가 나에게 이런 가르침을 주려고 했다는 깨달음을 뒤늦게나마 할 수도 있고, 평생을 가도 사기를 당한 것처럼 화가 나는 기억으로 남을 수도 있다.

CEO는 외롭다. 결정을 내려야 하는 사람이기 때문이다. 상사도 외롭다. 권한에 따라 다르지만, 결정을 내려야 하기 때문이다. 아끼는 팀원이지만 평가를 냉정하게 해야 하고 업무를 배분해야 하고 설득해야 하고 때로는 강력하게 밀어붙여야 하기 때문이다. 상사라는 위치 자체가 그런 위치이다. 그걸 바꿀 수는 없다. 필자가 직장생활을 20년 가까이 해오면서 느꼈던 한 가지 사실은 상사를 이길 수 있는 부하는 없다는 점이다.

정말 바보 같은 무능한 상사가 있다. 아무 일도 하지 않는다. 심지어 펜 한 번 들어보지도 않고 매일 하는 일은 종일 컴퓨터에서 주식시세나 부동산 정보를 보고 있다. 그럼에도 생각해보자. 왜 그는 잘리지 않을까? 매년 평가 철이 다가오면 분명 잘리고 팀원으로 내려앉아야 하는 사람인데 왜 잘리기는커녕 살아남고 어떤 경우에는 승진하는가? 필자 또한 결코 이해할 수 없는 경험을 한 적이 있다. 어느 누가 봐도 심지어 외부업체의 사람들까지 무능하다고 하는 팀장이었는데 그다음 해에 승진했다. 회사에 정나미가 떨어지는 순간이었다. 이렇게 사람 보는 눈이 없는 회사라니 암울했다. 그런데 이상했다. 그래서 생각하기 시작했다.

저 상사가 살아남는 이유가 뭘까? 상사를 관찰하기 시작했다. 아침에 출근할 때부터 퇴근할 때까지 무슨 일을 하는지, 어느 부서의 누구와 친한지 그리고 그의 윗사람에게는 어떻게 대하는지를 하나하나 살펴보았다. 이런 관찰을 통하여 무능력하고 비인격적인 사람이 상사로서 살아남는 몇 가지 이유를 찾아냈다.

첫째, 희소성이다. 그 사람이 아니면 그 회사에서 할

수 없는 무언가를 가지고 있었다. 회사의 오랜 역사라든지 외부업체하고의 특수한 관계라든지 시스템이 아니라 사람에 의존하던 시절에 구축된 무엇인가를 그 사람만 알고 있었다. 전문적인 기술이 아니라 보이지 않는 회사 내의 특정 비밀이나 역사를 알고 있는 경우가 해당되었다. 실제 업무에서는 거의 필요가 없는데 어떤 일이 발생하였을 때 그것에 대한 해결책을 제시해줄 수 있는 경우도 그랬다.

둘째, 최고경영자와의 관계이다. 이건 누구도 건드릴 수 없는 영역이었다. 최고경영자와의 관계가 일반적이지 않으면 가령, 최고경영자가 직접 신입 공채로 뽑아서 지금까지 몇십 년을 같이 보냈다든지 그의 성실성에 대하여 최고경영자가 엄청나게 좋아 한다든지 할 때에는 상사의 능력이나 리더십은 별로 중요하지 않았다.

셋째, 조직 내외적으로 보이지 않는 네트워크를 가지고 있었다. 회사의 중요보직에 있는 사람의 줄을 잡고 있다든지, 일종의 사조직처럼 구축되어 온 학연, 지연 등으로 이루어진 주변의 강력한 지원군이 있었다.

이런 관찰을 통하여 이유가 어떻든지 간에 상사와 싸우거나 경쟁을 하는 것은 부질없다는 생각을 하게 되었다. 그 상사의 값어치나 희소성이 사라질 때까지 상사라는 존재를 있는 그 자체로 인정하는 것이 조직생활을 하는데 훨씬 더 유리하다는 것을 알게 되었다.

우선, 상사에게 가지고 있는 모든 감정을 배제했다. 감정을 배제하고 상사라는 존재를 인정하는 순간, 상황이 주관적이 아닌 객관적으로 변했다. 물론 끊임없이 화가 나고 상사로 인하여 고생을 하지만 그럼에도 상황을 객관적으로 바라보게 되었다. 그리고 나자 상황을 어떻게 타개해 나갈 수 있을까에 대한 생각에 다다르게 되었다.

회사를 그만둘 것인가? 혹시 다른 부서로 옮겨갈 수는 없을까? 나아가 상사의 무능력함에 대하여 어떻게 회사 내부에 알릴 수 있을까?에 대하여 고민하게 되었다.

물론, 변화를 만들어내기는 쉽지 않았다. 그럼에도 객관성을 유지하게 됨으로써 상사로 인하여 온통 암흑이었던 회사생활이 그래도 조금은 다른 시각에서 그 상황을 바라보게 되었다. 그렇게 감정을 통제하게 되자 상처받는 감정을 조금은 누그러트릴 수 있었다.

한 가지는 확실하다. 아무리 우스운 상사라 하더라도 나보다 나은 거 한 가지는 있다. 그 한 가지가 지금 있는 회사에서는 쓰임새가 있다. 그렇다면 그 한 가지를 상사보다 낫게 하거나 아니면 쓰임새가 없도록 만들거나 아니면 버텨야 한다.

상사는 바뀌지 않는다. 상사를 이기려고 하지 말자. 상사는 그냥 상사일 뿐이다.

극복할 수 없는 상대라면 돌아가라. 최대한 감정의 거리를 유지하여 감정이 다치는 경우를 최소화하자. 그리고 가능한 상사와의 모든 업무를 자료화하고 남겨놓자. 언제 어떻게 쓰일지 모른다. 본인이 한 업무 덕분에 상사에게만 돌아갈 칭찬이 있다면 다른 사람들에게도 함께 돌려서 조직 내 영향력을 높이자. 절대로 조직 내 누구에게라도 상사를 비난하거나 욕하는 말을 하지 말자. 천천히 그러나 쉬지 않고 앞으로 나아간다면 기회는 반드시 오게 되어 있다.

이직코칭

1. 본인이 가장 잘 맞았던 상사는 누구이며 그 이유는 무엇인가요?
2. 본인을 가장 힘들게 했던 상사는 누구이며 그 이유는 무엇인가요?
3. 상사의 입장에서 지금의 당신은 어떤 부하직원일지 적어봅니다.

4.

내가 생각하는 직업이란 무엇인가

직업이란 무엇일까? 누군가에게는 매일의 생계를 유지해 주는 수단이자 삶의 가치를 실현해주는 방법이다. 어렸을 때부터 한 가지의 직업을 목표로 삼아 매진하는 경우는 행복한 경우다. 대부분이 세월이 흘러감에 따라 이런저런 경험을 하면서 이어진다.

세상살이가 너무 답답해서 철학원에 가서 사주팔자를 본 적이 있다. 다른 건 거의 기억이 안 나는데 한 가지가 계속 머릿속에 남아 있다. 끊임없이 반복적인 일을 되풀이하며 그걸 통해 먹고 산다고 했다. 직업을 설명하는데 이 말 만큼 정확한 표현은 없을 듯싶다.

그런데 직업을 어떻게 해석하느냐에 따라 삶을 대하는 태도가 달라지고 행복가치가 달라진다.

어느 날 길을 가던 철학자가 벽돌을 짊어지고 가는 사람 한 명을 만났다. 무슨 일을 하느냐고 물으니 심드렁한 표정으로 벽돌을 지고 간다며 보고도 모르느냐고 되레 핀잔을 주었다. 좀 더 길을 가다가 철학자는 다시 또 한 명의 벽돌을 지고 가는 사람을 만났다. 무슨 일을 하느냐고 물으니 가족을 위한 집을 짓기 위한 벽돌을 지고 간다며 길을 재촉했다. 한참을 가다가 철학자는 벽돌을 지고 가는 또 다른 사람을 만났다. 같은 질문에 그 사람은 환히 웃으며 수백 년이 지나도 무너지지 않을 성당을 짓는 벽돌을 나르고 있다고 말했다.

필자는 수산물 공장에서 생산직 근로자로 일한 경험이 있다. 열심히 일하든 농땡이를 치든 같은 시간에 일을 시작했다가 같은 시간에 일이 끝났다. 더욱이 수당도 같았다. 수산물을 포장하는 일은 몸으로 하는 일이었다. 내가 하지 않으면 남이 그 일을 하게 되는 구조였다. 사람들은 본능에 따라 움직였다. 아침 출근 후 어떻게든 편한 자리를 잡아야 했다. 누군가는 그렇게 움직여서 제 몸 하나 편하게 하루를 보냈다. 그러나 그런 와중에 누군가는 힘든 자리를 마다치 않았다. 머리를 써서 살아남아야 하는 일자리와 비교했을 때 훨씬 원초적이고 본능적이며 솔직한 일자리였다.

그때 생각했다. 직업이란 무엇일까? 끊임없이 반복적인 일을 되풀이하는 것. 그런데 그것을 통해 먹고 살기만 할 수도 있고 먹고 살고 나아가 삶의 가치도 실현할 수 있는 게 직업이라 생각했다. 직업을 가진 사람은 누구나 자신에게 있어서 직업은 생존을 위한 수단인지, 경제적인 부를 유지하기 위한 과정인지 아니면 삶의 가치를 실현할 수 있는 비전인지에 대해 우선순위를 따져봐야 한다.

누구에게든 자신의 직업을 소개할 수 있어야 한다. 돈을 받고 날라주는 벽돌이 아니라 세계 최고의 성당을 짓는 인부라 소개할 수 있어야 한다. 결국, 직업은 찾는 게 아니라 스스로 정의해야 한다. 직업에 대한 정의가 정확해지면 해질수록 직장에 대한 기대치나 의존도는 상대적으로 낮아진다. 직장에 다니면서도 계속해서 직업의 의미를 고민해야 하는 이유이다.

상담하다 보면 직장을 찾는 목적이 단순히 연봉을 더 올리려는 사람이 있다. 이런 사람에게 직업은 연봉인상의 수단 그 이상도 이하도 아니다. 그런데 이렇게 연봉을 올려서 옮긴 사람이 나중에 이직한 직장에선 삶의 비전을 실현할 수 없다고 불평한다. 본인이 무엇을 원하는지 정확히 알지 못하는 사람이다. 아니면 노력 없이 성과를 얻으려는 사람이다.

생존을 위한다면 생존을 가능하게 해주는 직장에 만족하면 되고 안정감을 원한다면 그런 직장을 찾으면 된다. 그런데 삶의 가치를 찾고 실현하고자 한다면 직업에 대해서 좀 더 진지하게 고민해야 한다. 사회적인 부귀영화와 본인이 추구하는 가치가 다를 수 있다. 얻는 것이 있으면 잃는 것이 있다.

이직코칭

1. 본인의 직업을 표현해 본다면, 생각나는대로 단어나 문장으로 제한없이 적어봅니다.
2. 적어놓은 본인의 직업을 한 문장으로 정리해 봅니다.
3. 이직을 해야한다면 무엇을 얻고 무엇을 잃게 될 지 생각해봅니다.

5.

불평 많은 사람 중에 제대로 이직에 성공하는 사람은 드물다

필자의 지인 중 이직과 관련되어 문의하는 경우가 종종 있다. 이들은 이직해 본 경험이 없는 사람과 한 두 번의 이직 경험이 있는 사람으로 구분된다. 처음 이직을 고려하는 사람들은 필자의 말 한 마디 한 마디에 두 눈을 동그랗게 뜨고 집중하는 편이다. 이런 세상이 있었느냐는 표정으로 본인이 생각했던 이직의 현실과 이상을 깨닫고 고개를 끄덕이기도 하고 갸우뚱하기도 한다. 필자의 친한 친구 중 몇몇이 직장생활 10년 정도가 지났을 때 즈음 개인적으로 연락을 주어 이직에 대한 상담을 요청한 적이 있었다. 당시 보유하고 있던 이력서 샘플부터 아는 모든 정보를 다 제공해주었다. 그러나 그 중 한 명도 결과적으로 이직을 시도하지 않았다. 여러 이유가 있었겠지만 그만큼 이직은 중요한 관심사이자 판단하기 어려운 선택이기도 하다.

필자의 일은 이직을 원하는 사람에게 이직하고 싶은 이유를 묻고 그것이 현실과 다른 점을 이야기해주는 것이다. 그리고 현실과 이상 사이에서 균형을 잡도록 조언한다. 그게 첫 번째로 하는 일이다. 현재 다니는 직장에서 얻는 다양한 혜택에 대하여 다시 한 번 생각해볼 수 있도록 다른 회사나 상황에 대하여 알려 준다. 결국, 판단은 본인의 몫이다. 그렇지만 심각하게 고민하지 않은 결과로서의 이직은 지금 있는 직장에서의 생활조차 엉망으로 만들 수 있기 때문에 매우 조심스럽다. 경력이 올라가면 올라갈수록 더 그렇다.

예전에 컨설팅했던 중소기업의 대표이사에게 들은 이야기다. 직원이 200명 정도 되는 중소기업을 경영하는 대표이사가 재무 쪽 담당이사를 새롭게 영입하게 되었다. 처음 회사를 창립했을 때는 믿을 만한 사람이 필요했기에 가족이나 친척 중에서 사람을 쓰곤 했다. 그러다가 회사의 규모가 커지다 보니 좀 더 체계적인 관리가 필요해서 큰 금융기관에서 일했던 사람을 뽑았으면 하고 바라고 있었다고 한다. 때마침 회사에서 거래하던 은행의 모 차장이 상당히 성실하고 맘에 들었었는데 어느 날 점심을 함께 하면서 이런저런 이야기를 하다가 그 차장도 이직하고 싶다는 의사를 피력했다고 한다. 대표이사 처지에서는 회사의 사정을 잘 알고 있고 인간성에 대해서도 몇 년간 알던 사람이니 믿을만해서 이만한 사람이 없다는 판단 아래 회사의 재무총괄임원으로 채용하였다.

그런데 몇 달 지나면서 임원과 함께 일하는 사람들에게서 임원이 일을 제대로 하는 사람인지 모르겠다, 계속 불평만 해댄다는 등의 하소연이 들려왔다. 대표이사로서도 좀 더 기다려주면 무언가를 보여주겠지 하던 참에 그런 소리까지 들으니 안 되겠다 싶어서 그 임원을 조용히 불러서 어떠한지에 대해서 물어보았다. 임원이 하는 말이 회사 내에 본인이 일을 시킬 만한 부하직원이 없고 이건 이래서 안 되고 저건 저래서 안 된다며 온갖 불평을 하면서 심지어는 여름인데 왜 에어컨이 시원하지 않느냐는 말까지 했다고 한다.

안되고 있는 업무를 고치고 바꿔서 새롭게 해달라는 의미에서 대표이사는 차장을 임원으로 뽑아서 차도 제공해주고 사무실도 제공해주었다. 그러나 임원이 시간이 지날수록 회사가 너무 엉망이라는 말만 되풀이하기에 화가 난 대표이사는 얼마 안 가 임원과 헤어지고 말았다며 안타까워 했던 기억이 난다.

아마도 이 임원에게 있어서 여름에 시원한 것은 숨 쉬는 것처럼 당연한 일이었을 것이다. 은행에 가 본 사람은 다 안다. 여름엔 얼마나 시원하고 겨울엔 또 얼마나 따뜻한지 알 수 있다. 은행은 고객을 대상으로 하는 서비스업종이니 당연히 그러하다. 그러나 공공기관뿐만 아니라 민간기업 중에서는 에너지절감차원에서 온도를 적정 온도로 유지하는 때도 있다. 이 임원은 본인의 직장이 제조업이란 점을 전혀 이해하지 못했다.

대기업 출신들은 대부분 시스템에 따라 업무를 진행하도록 훈련받는다. 본인이 모든 업무를 총괄하는 자리에 올라가려면 십수 년이 걸린다. 시스템 중심의 업무에 익숙한 사람은 왜 직원이 이메일에 답신을 안 하는지, 보고를 제때 하지 않는지, 자료실에 쉬운 자료조차 갖춰져 있지 않은지를 이해하지 못한다. 그러나 바로 그렇기에 해당 기업에서는 그 사람을 뽑았다는 것을 알아야 한다. 대기업에서 배운 장점을 회사에 심어주고 인재를 성장시키라고 본인을 뽑았다는 것을 간과한 것이다. 그러니 남 탓을 할 수밖에 없다.

상담을 의뢰한 사람이 막연한 희망만을 품고 높은 연봉을 제시해 준 직장에 대해서 물어 올 때 필자가 그 기업에 대해서 부정적인 이야기를 하게 되면 실망한다. 필자에게 기대하는 것은 의견이 아니라 지지를 바라기 때문이다. 본인이 선택한 것에 대한 맹목적인 지지를 바탕으로 이직을 성사시키고 싶다는 마음이다. 그러나 필자의 역할은 그게 아니다. 해당 기업의 내부사정을 정확히 알 수는 없지만, 최소한 예상할 수 있는 것들에 대하여 객관적인 의견을 줘야 한다. 그래서 본인 스스로 객관적으로 생각하도록 돕는 것이 필자의 역할이다.

필자의 경험을 바탕으로 이직할 때의 선택기준에 대해서 한 가지는 명확히 말할 수 있다. 바로 이직하려는 그 이유에만 집중해야 한다는 사실이다. 지금 있는 회사에서 불만인 점이 상사라면 옮기는 회사에서도 상사만 생각해야 한다. 복지혜택이라면 더 나은 복지혜택에 집중해서 이직을 결정해야 한다. 옮기고자 하는 이유를 명확히 하고 옮길 회사에서 그 부분이 해소될 수 있는 여지가 있는지를 수단과 방법을 총동원하여 확인해야 한다.

가장 안타까운 경우는 이직하고 나서 이직을 축하한

다고 지인들끼리 저녁에 술 한잔하자고 모였을 때, 새롭게 옮겨 간 회사에 대해서 불평불만을 쏟아내는 경우를 가끔 본다. 그런 사람은 얼마 안 가 회사를 옮기거나 설사 그 자리에 남아있기는 하되 결코 회사에서 인정받거나 혹은 본인 스스로 행복해하는 경우를 보지 못했다.

최대한 고민을 해서 이직을 했다면 그 회사의 좋은 점, 발전 가능성이 높은 점을 찾아야 한다. 쉽게 말해 어떻게든 정을 붙여야 한다. 회사라는 조직은 사람과 사람이 만들어가는 눈에 보이지 않는 생명체이다. 그렇기에 내가 내뿜는 부정적인 기운은 상대방이 금방 눈치를 챈다. 만들어내는 자료, 보고할 때의 말투, 사람들을 대하는 눈빛을 보고 금방 알아챌 수 있다. 과장을 좀 붙여서 말하자면 인사팀장 경력 10년이면 그 사람의 뒷모습만 보아도 무슨 생각을 하는지 알 수 있다. 기억해야 한다. 누군가 나를 지켜보고 있다. 무서울 말일 수 있지만 사실이다.

지금 이직을 하려고 준비하는 사람들, 이직했는데 어찌할 바를 모르는 사람들 그리고 이직한 지 얼마 안 되었는데 생각했던 것보다 너무나 실망스러움만 발견하는 사람에게 조언한다.

지켜보라. 가만히 지켜보라. 회사의 일상을 그리고 본

인에게 다가오는 많은 일과 사람들의 태도를 냉정하게 바라보라. 그리고 본인은 또한 이 상황과 회사를 어떻게 보고 있는지를 생각해보라.

지금은 그래야 한다. 언젠가 조직에서 단단히 기반을 잡았을 때 불평해도 늦지 않다.

이직코칭

1. 회사에서 보기에 당신은 이직하려는 사람인가요? 지금 조직에 집중하고 있는 사람인가요?
2. 이직의 경험을 바탕으로 가장 실망스러웠던 상황이 있었다면 적어봅니다.
3. 그 과정을 통하여 당신이 배운 건 무엇인지 자세히 적어봅니다.

6.

상사를 알려면 상사를 관찰하라

회사를 그만두는 가장 큰 요인은 무엇일까?

회사를 그만두는 가장 큰 이유는 바로 인간관계 때문이라는 통계조사도 자주 나온다. 그렇다면 회사에서의 인간관계란 무엇인가? 회사 생활을 하면서 맺는 인간관계는 가족처럼 이타적인 관계도 아니고 친구사이처럼 감정적인 관계도 아니다. 철저하게 이해 타산적인 관계다. 또한, 상호 의존적인 관계다. 아무리 잘난 팀장도 보고서를 완성할 때 팀원의 지원이 필요하다. 팀원은 자신에게 올바른 업무 방향을 제시해 줄 상사가 필요하다.

조직의 설립목적은 장단기적으로 특정한 목표를 달성

하는 것이다. 이익을 발생시켜 주주에게 배당금을 지급하거나 특정 사회계층이나 이해집단을 위한 목표를 실행하여 얻은 결과를 이해관계자들에게 배분한다. 이런 이유로 조직은 조직 구성원 개개인의 이해관계를 다 고려할 수 없다. 특정한 목표를 추구하다 보면 시간과 돈 그리고 품질의 3가지 기준에 따라 일을 처리하는 우선순위가 달라진다. 개인은 직속 상사가 어떤 기준을 더 중시하느냐에 따라 일을 대하는 자세와 방향도 달라지게 마련이다. 회사의 방침과 상사의 의도에 따라 실무자의 업무방식은 달라진다. 그렇기에 회사는 업무를 판단하는 우선순위를 통일해서 직원들이 알게 해야 한다. 그래서 비전을 만들고 핵심가치를 수립한다. 이를 통해 조직원이 업무에 일할 때마다 반드시 참고해야 할 판단의 기준을 제공한다.

회사내에서의 인간관계에서 핵심인물은 누구일까? 의심의 여지 없이 직속상사이다. 상사가 누구냐에 따라서 회사가 천국이 되기도 하고 지옥이 되기도 한다. 체계적인 업무를 수행해내며 한 단계 한 단계 성장할 수도 있다. 방향성 없는 자료조사만 하면서 노동력만 착취당하며 세월을 보낼 수도 있다. 신입 팀원 시절에 제대로 된 상사에게 업무를 제대로 배운 사람은 팀장이 되어서도 자신의 상사가 자신에게 했던 것처럼 팀원을 대할 확률이 높다. 상사는 조직생활에서의 생사여부를 좌우한다고 해도 과언이 아니다.

어떻게 하면 상사를 알 수 있을까?

첫째는 상사의 업무스타일을 정확히 아는 것이다. 상사가 보고서를 받는 것을 선호하는지 직접 대화를 하면서 보고를 듣는 걸 좋아하는지 판단해 보라. 혹시 혼자 골똘히 생각하는 걸 좋아하는 스타일인지 여럿이서 맥주라도 한잔하면서 이야기하는 걸 좋아하는지 알아야 한다. 보고는 기일에 맞추는 것을 좋아하는지 기일보다 훨씬 일찍 보고받는 것을 좋아하는지 알아야 한다. 또한, 나의 상사의 상사가 나의 상사를 어떻게 생각하는지를 알아내는 것도 매우 중요하다.

두 번째로는 상사의 행동을 자세히 알아야 한다. 아침에 몇 시에 출근하는지, 와서 무엇을 하는지, 가장 집중해서 일하는 시간은 언제이며 근무 중에는 어떤 식으로 일하는지 그리고 퇴근 시간 전에는 무엇을 하고 퇴근은 대략 언제 하는지 등 일거수일투족을 알면 일하는데 훨씬 도움이 된다. 상사를 알게 되면 그의 낯빛만 보고도 오늘 보고를 언제 해야 하는지를 알 수 있다. 대기업의 임원이 가장 신경을 써서 관리하는 게 누구인지 아는가? 바로 회장님

비서이다. 그래서 외국출장 시 본인 아내 선물은 못 사올 정도로 바빠도 비서 선물은 잊지 않고 사오는 게 엄연한 회사생활이다.

말도 안 통하고 도저히 나갈 기미도 보이지 않는 상사와 함께 있다고 가정해 보자. 그렇다면 잘 생각하고 판단해야 한다. 그럼에도 본인이 회사에 남아있는 이유는 무엇인가? 그 남아있어야 하는 이유를 위해서라도 상사를 제대로 정확히 파악하는 것은 필요하다.

분명 세상에 다른 회사는 많다. 또한, 다른 길도 있다. 본인과 맞지 않는 상사 때문에 이직하거나 퇴사할 이유는 전혀 없다. 그렇지만 최악의 상황에서는 이직도 해야 한다. 똥은 무서워서 피하는 게 아니라 더러워서 피하는 것이다. 그러니 이제부터라도 상사를 관찰하라. 그리고 상사를 철저하게 파악하라. 당신이 기대했던 이상의 결과가 올 것이다.

이직코칭

1. 당신의 상사는 어떻게 일하는 타입인가요?
2. 본인이 아는 상사의 모든 것을 적어봅니다.
3. 조직생활을 좀 더 원활히 하기 위해서 상사의 어떤

7. 면을 활용할지 생각해봅니다.

이직을 위해 매일매일 준비해야 하는 일들

바야흐로 이직의 시대이다. 앞으로 직장생활을 하는 사람은 평균 5~6번의 이직을 경험할 것이라는 기사를 본 적이 있다. 이 기사의 정확성 유무를 떠나서 분명한 것은 직장생활을 하는 사람이 직장에서 근무할 수 있는 최대치가 약 30살에서 60살이라고 치면 약 30년이다. 무엇보다도 인간의 평균수명이 늘어나고 있다. 얼추 100살까지는 산다고 치면 60살부터 80살까지는 어떤 형태로든 경제적인 활동을 해야 한다는 계산이 나온다.

이직은 이제 단순히 경제적인 조건, 인간관계에서의 스트레스, 미래에 대한 비전 등의 이유만으로 일어나는 일이 아니라, 긴 인생을 살아가기 위해서 필연적으로 경험해야 하는 일이 되어 버렸다. 어린아이가 유아기에 가지고 있던 치아를 다 버리고 긴 인생을 함께할 영구치가 솟아나듯이 사회생활을 시작하면서부터 이직에 대한 관리가 더 중요해졌다는 것을 의미하기도 하다.

어떤 일이 나에게 맞는가? 어떤 직업을 선택해야 하는가에 대한 질문에 답을 하는 것은 매우 어렵다. 왜냐하면, 직업이 가지는 이론과 실제가 너무 다르기 때문이다. 착한 사람을 괴롭히는 나쁜 조폭을 잡는 경찰이 되고 싶다는 어린 학생은 경찰이기 때문에 감내해야 하는 많은 야근과 끝도 없이 밀려드는 과다한 업무를 이해하지 못한다. 아픈 사람을 치료해주는 백의의 천사 같은 간호사를 꿈꾸는 간호학과 1학년 학생은 엄격한 서열이 존재하고 무리한 근무 여건으로 힘들어하는 간호사의 현실을 받아들이기는 아직 버겁다.

그렇다고 세상의 모든 일을 하나하나 다 경험해볼 수도 없는 노릇이다. 지금의 현실에서 내가 앞으로 가지게 될 직업이 무엇인지를 예측한다는 것 자체가 불가능하다. 어릴 때 부모의 손에 이끌려 예체능의 길로 가는 인생이 아니라면, 대부분 사람은 학교생활을 마치고 성인이 되면서 일을 선택하게 된다. 그러나 선택이란 말이 무색할 정도로 취업의 문은 좁디좁다. 그렇기에 일단 어디든 들어가고 보자는 식의 접근이 된다. 입사하게 되고 그 일이 잘 맞으면 다행인데, 그렇지 않으면 퇴사를 고민하게 된다. 이직의 악순환이다.

즉, 시작이 잘못된 것이다. 처음 직업을 선택해야 하는 시점부터 바로잡아야 하는 문제가 된 것이다. 필자도 대학생 취업캠프도 가보고 신입사원 면접관으로도 참여하고 또 경력직으로 이직한 사람의 적응을 돕는 것을 직업으로 하고 있지만, 바꿀 수 있다면 출발점에서부터 바로 잡아야 한다. 직업에 대한 더 많은 체험의 기회도 중요하지만, 자신이 누구인지를 잘 알게 도와주어야 한다.

우리는 타고난 생년월일 그리고 시간이 다 다르다. 또 같은 시간에 태어난 쌍둥이 일지라도 다른 인생을 살아간다. 같은 연월일시에 때어났더라도 살아가면서 접하게 되는 환경이 달라지기 때문이다. 그렇기에 자신의 타고난 성향을 참고로 하되, 놀이나 공부에서 재미를 느끼는 분야, 어떤 환경에 처했을 때 그것을 풀어나가는 자신만의 방식을 하나하나 관찰하고 기억해야 한다.

매년 초나 말 혹은 무언가 미래에 대해서 궁금할 때

우리는 철학원에 간다. 무당이나 신점이 아니라 흔히 말하는 철학원이나 역술원은 명리학에 기반을 두어 사람의 생년월일시를 기준으로 풀이한다. 명리학은 고대로부터 집계되고 축적되어 온 통계의 결과물이다. 즉, 어떤 성향을 타고난 사람은 어떤 일을 하는 경우가 많고 이렇게 살아가더라 하는 것을 몇천 년 동안 명리학자들이 기록하여 쌓여 온 학문이다. 그러나 명리학이 세간에서 제대로 대접받지 못하는 이유는 바로 사람의 운에 관하여 이야기 하기 때문이다. 또한 철학원을 운영하는 사람들의 실력이 천차만별이기에 보는 사람마다 해석하는 바가 다를 수 있다. 그러므로 철학원에서 보는 운세는 참고할 뿐이지 맹목적으로 따를 필요가 없다.

그런데 명리학에서 변하지 않는 영역이 있다. 바로 사람이 타고난 성향에 대한 부분이다. 태어난 순간 우리 각자에게 정해진 생년월일시를 바탕으로 그 사람이 타고난 성향을 알 수 있다. 이것은 미신의 영역이 아니다. 이미 정해져 있는 영역이다. 좀 더 외향적인 성향을 보인다든가 떠드는 것보다는 조용한 것을 더 좋아한다든가 하는 식으로 타고난 바가 다 다르다. 사람은 살아가면서 타고난 기질대로 살기도 하고 살아가지 못하기도 하다.

필자가 잘 알지도 못하는 명리학까지 들먹이면서 이직에 관하여 이야기하는 이유는 단 한 가지다. 직장을 찾는 게 중요한 게 아니고 나 자신을 찾는게 중요하다는 말을 하고 싶어서다. 내가 누구인지, 최소한 내가 어떤 기질을 타고났는지 어떤 사고방식을 가졌는지 그리고 어떻게 행동하는 경향이 있는지를 알고 나서 나에게 맞는 직업을 찾아야 한다. 그리고 그 직업을 최대한 펼쳐 보일 수 있는 직장을 찾는 것이 이론대로라면 제대로 된 순서가 아닐까?

지금이라도 단순한 성격검사라도 해보고, 책도 보고 자신에 대해서 직접 적어보고 타인에게 물어보라. 그리고 자신이 하는 일의 특성도 적어보고 그 일이 갖는 업의 특성은 무엇인지도 생각해보라. 자신을 아는 것 그리고 자신이 하는 일을 정확히 아는 것이 중요하다. 마침내 본질을 꿰뚫는 눈을 가질 수 있다면 우리는 인생의 주인공이 될 수 있다. 원래 우리는 주인공이었다. 그러다가 여러 이유로 계속 밀리고 밀려서 정작 주인공인지 주변인인지 모르고 살아가고 있을 뿐이다. 결국 이직을 위해서 매일매일 준비해야 하는 일은 바로 자신을 알아가는 것 그래서 자신이 인생의 주인공이라는 사실을 깨달을 수 있는 성찰과 경험의 시간을 마련하는 것이다.

이직코칭

1. 본인이 알고 있는 본인 자신에 대해서 시간을 내어 적어봅니다.
2. 직장에서의 자신과 사생활에서의 자신이 하는 행동의 공통점과 차이점을 적어봅니다.
3. 당신은 어떤 사람인지 거울을 보며 눈을 마주치며 이야기 해 봅니다. 느낌이 어떤가요?

8.

직장을 옮긴 후 1년 안에 자신의 강점과 장점을 찾아라

경력직으로 이직하면서 느끼는 가장 큰 두려움은 무엇일까? 연봉은 조금 오르고 일은 엄청나게 많아지는 상황? 혹은 면접 때와 전혀 달라진 상사? 그 무엇보다 가장 큰 두려움은 원하지 않는 하차 즉, 퇴사일 것이다.

우리나라 기업은 이직의 횟수가 많은 지원자를 선호하지 않는다. 블라인드 채용 즉, 사진과 성별과 나이 그리고 학력 등을 기재하지 않고 채용심사를 하는 기업이 공공기관을 중심으로 늘어나고는 있지만 경력직에 있어서는 당분간은 요원한 이야기이다. 헤드헌터가 아예 거의 서류심사를 대행하는 경우에는 이직횟수가 3회가 넘어가면 지원 자체가 어렵다고 솔직히 이야기한다. 면접의 기회가 아예 없는 것이다.

한편, 어제오늘의 이야기는 아니지만, 기업입장에서 인재에 대한 영입과 관리는 가장 중요한 과제이다. 그래서 인재전쟁이라는 말까지 나왔다. 아무리 이력서가 훌륭하고 면접에서 호감을 주었다 하더라도 실제 업무에서 3개월 후에 평가가 안 좋게 나오는 경우 과감하게 잘라내는 것이 요즘의 현실이다. 3개월 이내에 성과도 내야 하고 본인의 리더십도 보여줘야 한다.

경력직으로 이직하는 경우 조직 내부의 구성원들이 그걸 따라오지 못하더라도 홀로 이 전쟁에서 살아남아야 한다. 그러나 이런 상황을 극복하지 못한다면 조직에서 일 년도 버티기 어려울 수 있다. 이런 상황에서 경력직으로 회사를 옮기게 되었다고 치자. 첫 1년이란 시간 동안 어떻게 하는 것이 가장 현명할까?

예전에 전역을 앞둔 영관급 장성에 대한 제2의 인생 프로젝트를 기획, 운영하였다. 국가의 안보가 지상 최대의 과제였고 국가를 위해 온 힘을 기울였던 전역자들은 사회가 어떻게 돌아가는지, 돈을 어떻게 벌어야 하는지를 잘 몰랐다. 그런 사람이 퇴역 후 연수원에 입소하게 되면 연수원장이 전역자들에게 꼭 하는 말이 있었다. 전역 후 수중에 쥔 퇴직금을 사기당하는 경우가 아주 많은데 사기를 치는 사람이 바로 그 사람의 선배 즉, 같이 전역을 했던 사람인 경우가 허다하니 조심해야 한다는 말이었다.

왜 그렇겠는가? 그 사람도 그 위의 전역자에게 그렇게 당했기 때문이다. 원장은 쉬운 길을 찾지 말고 처음부터 다시 시작한다는 마음으로 임하라고 조언했다. 전역자 대부분이 본인의 장점과 강점을 찾고 개발하기보다는 선배가 제시하는 길이 훨씬 더 안정적이고 쉬워 보였기 때문에 그런 선택을 한 것은 아니었을까?

경력직으로 입사하게 되면 최우선적으로 해야 하는 일은 그 조직에서 요구하는 업무를 평균이상으로 해내는 것이다. 6개월 이내에는 그렇게 해내야 한다. 그런 후에 다시 또 이력서를 작성한다는 심정으로 자신의 강점과 장점이 무엇인지 파악해야 한다. 어느 정도 자신의 강점과 장점을 알고 있다면 어떻게 그것을 더 잘 향상할 수 있는지, 지금의 업무에서 가능한지 혹은 다른 업무와 연관이 있는지를 판단해야 한다. 이런 노력은 직장 내에서의 생존을 보장해줄 뿐만 아니라 성장에 가속도를 붙여준다.

생존에 필요한 수단과 방법을 고민하고 알아내어서,

필요하다면 업무 외적으로도 배우고 익혀서 준비해놓아야 한다. 아무도 이러라고 요구하지 않는다. 연말의 인사평가에도 반영되지 않는다. 하지만 준비해 놓아야 생존할 수 있고 다가올 미래의 기회와 위험에 대처할 수 있다.

경력직으로서의 첫 1년은 생존의 기간이라 했다. 어차피 사회생활 자체가 생존의 연속이다. 경력직으로서의 1년은 이런 점에서 매우 소중한 기간이다. 본인의 강점과 장점을 생존이라는 큰 틀 안에서 정의하는 것이 필요하다. 기본적인 업무 수행 이외에 그것이 우선이고 해당하는 조직의 분위기에 적응하고 사람들과 관계를 형성하는 것이 두 번째이다.

경력직으로서 이직하고자 결심하고 움직이기 시작한 사람 대부분은 이 점을 반드시 기억해야 할 것이다. 고달프더라도 그 노력이 나중에 본인을 살릴 것이다. 또한, 조직 내에서도 더욱 자신감 있게 버틸 수 있게 해 줄 것이다.

이직코칭

1. 업무적인 본인의 강점과 장점에 대해서 적어봅니다.
2. 개인적인 본인의 강점과 장점에 대해서 적어봅니

다.

3. 업무적으로 당장 활용할 수 있거나 앞으로 강화해야하는 강점과 장점에 대해서 각각 정리합니다.

9.

평생직장과 평생직업

필자가 군대를 제대하고 복학한 1990년대 중반에는 대학 같은 과 선배들이 종이로 된 취업원서를 들고 다녔다. 뭐냐 하면 기업체에서 미리 특정 대학이나 특정 학과의 학생들을 대상으로 취업할 수 있는 지원서를 제공했었는데, 학과별로 일정 기준이상의 기준에 적합하다면 일종의 혜택을 주는 지원서였다. 물론 모든 학생이 다 그런 지원서를 받지는 못했다. 그렇지만 그다지 학업을 열심히 하지 않은 선배들도 그런 지원서 한두 장은 들고 다녔다. 그만큼 취업 시장이 여유로웠다. 물론 지원서가 합격을 뜻하는 바는 아니었다. 그렇지만 서류가 통과되고 면접에 갈 수 있는 프리

패스를 받았다는 것만으로도 상당한 혜택이었으리라 생각한다.

어찌 되었건 경제는 호황이었고 취업시장은 특정 대기업을 선호하지만 않는다면 크게 문제가 되지는 않았다. 그러다가 IMF가 터졌다. 직장을 다니는 사람들을 마구잡이로 자르는 와중에 어느 기업이 신입사원을 선발하겠는가? 시장에 아예 신입사원 선발에 대한 씨가 말랐다. 종종 돌아다니던 원서는 싹 사라졌고 취업시장은 얼어붙었다. 그때부터 평생직장이 사라졌다는 말이 나오기 시작했다.

평생직장. 몇 년 전 인기리에 방영되었던 1980년 말부터 1990년 초반을 배경으로 한 TV 드라마를 보면 아버지는 회사에 다니시고 대부분 어머니가 아이를 살핀다. 아이들은 그다지 넉넉지 않은 가정환경이지만, 고만고만한 친구들을 만나서 같이 수학여행도 가고 놀러도 간다. 어머니들은 비슷비슷한 환경을 서로 나누며 살아간다. 그게 대부분의 사람이 살아가는 방식이었다. 특별히 문제가 되지 않으면 함께 가는 인생이었고 필자의 유년시절이 그랬다. 그렇기에 회사의 상사가 맘에 안 들어도, 하는 일이 그다지 만족스럽지 않아도 그냥 선배가 시키는 대로 하면 언젠가 선배가 될 수 있었다. 먼저 입사한 선배가 몇 년 뒤의 자신의 모습이었다..

필자가 처음 회사에 입사했던 2000년도에도 상황은 비슷했다. 당시 입사를 하고 1주일 동안 책상 앞에 앉아있었다. 정말 말 그대로 벽 보고 앉아 있었다. PC는 켜져 있으나 눈치가 보여서 인터넷도 못하고 상사가 읽어보라고 준 회사의 역사, 신입사원의 수칙 등 같은 책만 보면서 아침 9시부터 오후 6시까지 앉아 있었다. 선배가 밥 먹으러 가자면 밥 먹고 담배 피우러 가자면 담배 피우러 갔다. 군대와 똑같았다. 물론, 필자의 경험이 모든 동년배와 같은 경험은 아닐 것이다. 하지만 사회 분위기가 그랬다.

지금 생각해보면, 그렇게 일주일을 앉아 있으면서 '아, 우리 부서는 이런 식으로 돌아가는구나'를 몸으로 체험했던 거 같다. 재무팀의 특성 때문인지는 모르겠으나 오전 9시부터 11시까지는 정말 쥐죽은 듯 조용했다. 숨소리도 들리지 않았다. 그러다가 11시 30분 정도 되면 조금씩 몸을 움직이는 소리가 들렸다. 한 두 명이 아니라 열댓 명이 가만히 앉아있다가 다들 조금씩 움직이는 그 소리를 필자는 아직도 생생히 기억한다. 그러다가 '밥 먹으러 가자'란 팀장의 소리와 함께 점심을 먹으러 모든 팀원이 함께 갔다. 오후에는 외근을 가거나 다른 부서에 방문하면서 조금은 여유 있는 표정으로 업무를 했다. 그리고 6시가 되면 팀장이 '밥 먹으러 가자'하면 다들 또 당연하다는 듯이 일어나서 식당에 갔다. 6시는 그냥 서류상에 존재하는 퇴근 시간이었다. 그렇게 해서 8시나 9시에 퇴근을 했다.

필자로서는 당시 싱글이었고 퇴근을 늦게 한다면 친구들과의 약속이 깨지는 위험이 있을 수는 있었으나 그다지 나쁘거나 싫거나 하지 않았던 거 같다. 학원을 가거나 취미생활을 할 생각이 없었다. 회사 말고 대학 동기들 중 어느 누구도 취업해서 그렇게 사는 친구는 없었다. 필자는 그렇다손 치더라도 선배들은 다들 자녀가 있었고 기억 상으로는 대부분이 취학 전의 어린애들이었다. 필자가 취학 전의 어린애를 길러봤던 경험에서 보면 부부 중 누군가가 전적으로 아이를 봐주지 않는 한 그 시스템은 운영할 수 없는 시스템이다.

지금은 Input 대비 Output이 중요한 시대이다. 3개월마다 조직을 개편하는 시대이다. 그런데 그 당시의 회사는 왜 그랬을까? 군대도 아닌데 왜 일주일 동안 일도 시키지 않고 벽만 보게 했을까? 당시 같이 입사한 23명가량 전원이 거의 일주일간 업무를 하지 않았다. 선배들이 일을 주지 않았다. 그리고 그 다음 주에는 신입사원 공채 교육을 받는다고 그룹연수원에 입소했다. 그나마 IMF를 지나고 나서 많이 교육일정이 축소되어서 4박 5일을 했던 거 같다. 궁금한 것은 생산성 측면에서 기업의 입장은 무엇이었을까?

평생 같이 간다. 그러기에 일주일은 아무것도 아니다. 그냥 천천히 우리 조직이 어떤지를 알면 된다. 그랬다. 어차피 정년이 찰 때까지 우리랑 같이 있을 것이고 언젠가는 네가 실세가 될 것인데 뭐가 그리 급하니? 그냥 천천히 배워라. 성실하게 예의 바르게만 살아라. 그러면 다 회사에서 알아주고 가르쳐주고 너도 성장한다. 그 논리였다.

필자 또한 단 한 번도 의심하지 않았다. 회사는 가족이었다. 아버지와 어머니가 자식을 버리지 않듯이, 우리는 서로 클 때까지 커서 어른이 되어서 만났지만 그럼에도 우리는 헤어지지 않는다. 그래서 우리는 날밤 새우면서 돈을 세는 일을 하면서도 아침이면 출근하는 상무님께 벌떡 일어나서 90도로 깍듯이 인사를 했다. 상무님의 아드님 수학 아니, 산수시험문제를 매우 경건한 마음으로 풀어서 상무님께 깨끗이 제본해서 드리곤 했다. 그게 업무의 일환이었다. '수고했다' 상무님의 그 말 한마디에 마치 큰일을 해낸 양 그것이 회사를 위한 것인지 상무님을 위한 것인지 나를 위한 것인지에 대한 일체의 의문조차 없이, 성실히 묵묵히 생활했다. 그게 필자가 경험한 평생직장의 마지막 모습이다.

재무 쪽 일을 하다가 기업교육 쪽으로 옮겨왔을 때 만났던 대부분 전문교수 즉, 강의를 전문으로 하는 분들은 큰 기업의 인사팀장 출신이 유독 많았다. 큰 회사의 인사팀장으로 근무하다가 이직을 한 것이다. 정확히는 퇴사하고 새로운 인생을 시작한 것인데, 이분들 대부분이 IMF 당시 수많은 동료와 선후배를 본인들 손으로 정리한 사람들이었다.

옆자리에 앉아서 삼촌처럼 자신을 따랐던 이제 갓 고등학교를 졸업한 경리담당직원부터 형처럼 받들던 선배를 인사팀장이라는 이유만으로 정말, 딱 그 하나의 이유 때문에 '나가세요'를 했던 숱한 경험들을 듣다 보면 아, 정말 더 있기가 어려웠겠구나 생각을 했다. 그분들이 하시는 말씀은 하나였다. 이제는 회사가 나를 보호해주지 않는다는 것을 알게 되었다는 사실이었다.

필자가 졸업한 1999년 이후 약 20년 동안 그렇게 평생직장은 사라지고 없어졌다. 그리고 나온 단어가 평생직업이다. 그 차이가 무엇일까? 전문성? 내가 평생 가져가야 할 것? 평생 하고 싶은 것? 서점의 수많은 책이 이제 '당신이 하고 싶은 일을 하라'고 한다.

평생 한 직장에서 이 일을 좋아하는지 적합하지 않은지 따지지 않고 묵묵히 일한 사람들은 인생을 잘못 산 건가? 그들이 벌어다 준 돈으로 이만큼 성장한 자녀세대들이 평생직업은 커녕 사회에 첫발을 디딜 기회조차 잡지 못하는 지금 시대에 직장생활을 하는 우리에게 중요한 것은 무엇일까?

이직코칭

1. 지금의 직장은 본인에게 어떤 의미인지 적어봅니다.
2. 현 직장에서의 목표와 나의 비전은 얼마나 일치되어 있나요? 각각 적어본 후 비교해봅니다.
3. 본인이 궁극적으로 하고 싶은 일이 무엇인지 적어보고, 그 일이 본인 인생에 어떤 의미인지 생각해봅니다.

2부

Desire
계획하라

1.
당신은 무엇을 팔 것인가?

한 회사에 취업하거나 이직을 한다는 것은 내가 가진 지식과 경험을 투입하고 그에 대한 값어치를 받는 것이다. 그 말은 내가 팔 수 있는 무언가가 있고 남들보다 차별화시킨다면 훨씬 더 값어치가 올라가고 그에 따른 적절한 시장가격을 받는 것을 의미한다.

교육담당자 시절, 업무를 추진하는데 가장 힘들었던 부분은 경영진에게 교육의 중요성을 어떻게 설득하느냐였다. 집체 교육은 제공하는 부서의 목적과 받는 사람의 결과가 상당히 달라질 수 있는 소지가 많은 분야이다. 즉, 교육담당자로서는 밤잠을 설치며 기획해서 최고의 성과로 연결될 수 있도록 교육을 운영하고자 했는데 교육에 참여하는 사람이 그에 적절한 태도를 보이지 않거나 혹은 잘못된 기획으로 교육생에게 도움이 되지 못하는 교육이 될 수도 있다. 즉, 투자 대비 수익률 ROI(Return On Investment)가 얼마나 나오는지 경영진이 정확히 이해할 수 있도록 설명할 수 있어야 한다. 쉽게 말하자면 예산을 사용하는 목적이 인력에 대한 투자인지 소모적인 비용인지를 정확히 이해시켜야 한다. 교육실행에 대한 값어치가 정해져야 한다.

취업이나 이직도 마찬가지다. 얼마의 값어치를 받을 수 있고 얼마의 값어치를 제공할 수 있는지 상호 간에 맞아떨어져야 거래가 이루어진다. 착각하지 말아야 할 것은 값어치를 정하는 방식이다. 즉, 값어치를 정하는 주체가 누구인지 명확해야 한다. 우선, 본인 스스로 자신의 가치를 정하는 방법이 있다. 본인의 가치를 자신이 정하는 방법은 시장에서 누구나 인정할 만한 주특기가 있는 경우이다. 특정 자격증이 있다거나 남들이 가지고 있지 않은 전문지식이 있는 경우이다.

필자가 대학생 시절 90년대 중반에 리스트럭처링이란 분야를 막 전공하고 미국에서 귀국하신 교수가 한 분 있었다. 그때 한국 기업들 사이에 리스트럭처링이란 분야가 유행하기 시작했는데 마땅한 전문가가 없었다. 학교 수업시간 빼고 그분을 뵙기도 어려울뿐더러 그분과 점심 약속하는 게 하늘의 별 따기라는 소문이 돌 정도로 엄청나게 인기몰이를 하는 걸 본 기억이 난다. 그분의 경우 당시에 자신의 값어치를 자신이 정할 수 있었을 것이다.

두 번째로는 시장에 정해져 있는 기존 값어치에 본인의 가치를 더하는 방법이다. 이직하는 대부분은 두 번째의 경우인데 시장에서 정한 값어치에 자신의 특별한 가치를 더해서 몸값을 올리는 경우이다. 이직은 기본적으로 경력이 쌓여감을 전제로 한다. 그렇기에 본인이 쌓아 온 경력이 어떤 내용이었고 어떤 분야였느냐에 따라 이직 협상할 때 값어치가 달라질 수 있다. 경력자를 뽑는 회사 차원에서는 입사하자마자 당장 성과를 올릴 수 있는 직원을 원한다. 그렇기에 신입사원으로 뽑아서 하나하나 가르쳤을 때의 비용과 지금 제공하는 연봉 사이의 기회비용을 따지게 된다.

그렇다면 연봉만이 본인의 값어치를 정하는 유일한 요인일까? 이직을 고려하는 사람이라면 이 질문에 답변할 수 있어야 한다. 무엇을 팔 수 있는가? 나아가 입사 이후에 당신은 회사에 계속해서 무엇을 팔 수 있으며 어떻게 당신의 값어치를 지속시킬 것인가? 팔려는 것이 특정 지식인가? 폭

넓은 인맥인가? 그리고 이직한 조직에서도 계속 유지할 수 있는 것은 지식인가? 인맥인가? 아니면 성실한 태도인가?

과연 어떤 점이 당신을 차별화시켜 줄 수 있는가? 그리고 차별화를 위해서 어떤 계획을 이직할 회사에서 세우고 있는가? 만약, 이 질문에 제대로 답변할 수 없다면 이직은 커녕 조직 내부에서의 생존에 대해서 냉정하게 자신을 평가해봐야 한다. 동물의 세계에선 수컷이 암컷에게 자신을 팔기 위해 목숨을 거는 경우가 많다. 목숨을 걸고 경쟁자 수컷과 싸우고 죽거나 쟁취한다.

지금 당신이 팔 수 있는 것은 무엇인가?

이직코칭

1. 본인의 시장에서의 값어치를 생각해보고 본인의 값어치를 구성하는 항목, 내용을 적어봅니다.
2. 어떤 값어치를 더 개발해야 하는가요?
3. 값어치를 개발하기 위해 당장 실행해야 할 것 3가지를 적고 24시간 이내에 시작합니다.

2.

이직준비는 보험에 가입하는 것과 같다

첫 직장 동료 중의 한 명에게서 오랜만에 연락이 왔다. 근 20여 년 동안 지속해서 연락을 주고받은 절친한 사이이다. 대뜸 한다는 말이 사주팔자를 보고 왔다고 한다. 원래 무신론자인 동료에게 무슨 일인가 싶었다. 본업 외에 추진하고 있는 사업이 중요한 갈림길에 서 있다고 했다.

더는 묻지 않았다. 필자가 기억하는 바로는, 한 회사의 이사로 일하고 있는 동료는 회사에 다니면서부터 자신의 본래 사업을 준비하고 있었다. 항시 사업 일이 있는 게 아니라서 업무 외 시간에도 충분히 가능한 일이었다. 그의 역할은 사업에 지분을 투자하고 조언을 해주는 것이었다.

그랬던 사업이 아마도 엄청나게 커져서 더 깊숙이 관여하게 생겼거나 아니면 지금 다니는 직장이 위험해졌거나 둘 중 하나일 것이다. 전자일 가능성이 높다. 그렇다면 잘된 경우라고 할 수 있다. 자신이 직장에 몸담은 동안 자신의 기반을 충분히 닦았기 때문이다.

동료의 경우, 회사 내에서 하는 일과 자신이 추구하는 사업의 영역이 비슷했다. 즉, 일의 성격이 비슷했기 때문에 회사 내에서 하는 일과 사업으로 추구하는 일에서 상호 간에 시너지를 얻을 수 있었다. 회사 내에서 하는 일로부터 아이디어를 얻을 수도 있고 또 반대로 사업을 하다가 회사에서 하는 일에 도움이 되는 네트워크를 만들 수도 있었다. 이미 전 직장에서 이런 일을 하다가 지금의 회사로 스카우트되었고 입사 전에 CEO도 용인한 일이라 도덕적으로는 하등의 문제가 없었다. 하지만 두 가지 중 하나를 선택해야 하는 시기가 온 것이다.

고생 끝에 이직한 회사에서 어느 정도 경륜이 쌓이고 자리도 잡았는데 다시 또 회사를 옮겨야 한다면 어떤 경우일까? 또 다른 스카우트 제의가 왔거나 현재의 직장에서 누군가와 맞지 않거나 혹은 회사 아닌 개인적인 문제 즉, 가정생활이나 개인 건강 등의 문제가 발생하여 더 적합한 회사로 옮기게 되는 경우가 가장 많을 것이다. 이번이 정말 마지막 직장이라고 이 직장에서 뼈를 묻을 거라고 면접에서도 목청 높여 강조했건만 다시금 길을 떠나야 하는 사람의 입장은 힘들다.

하지만 힘들어도 더 나은 미래를 위해서라면 움직여야 한다. 일단, 이직해야 하는 경우가 생겼다면 첫 번째로 이직 해야 할 이유에 대해서 정확히 파악해야 한다. 무엇보다 그동안의 이직의 횟수, 현재의 나이 등을 무시하면 안 된다. 40대가 넘어가는 순간, 이직은 내 경력을 올리는 것이 아니라 내려가는 길에 서 있다는 것을 알아야 한다. 40대가 넘어서의 이직은 직급을 올리는 이직이어야 한다. 임원이 되는 이직이어야 한다는 말이다. 그래야 그 다음번의 이직을 대비할 수 있다.

40대 초반에 팀장으로 이직했다. 나름대로 승승장구하다가 이런저런 사유로 다시 또 팀장급으로 이직했다. 40대 중반의 나이에 팀장으로 이직하니 이직한 회사의 팀장들은 상대적으로 나이가 적다. 그리고 또 이직해 오는 임원들을 보니 내 나이 또래이다. 이것은 단순히 나이를 얼마나 더 먹었는가의 문제가 아니다. 나 자신이 혼자 움직이는 이직도 이직이지만, 사회생활이라는 거대한 틀 안에서의 이직도 40대가 되면 생각해보아야 한다. 대부분 비슷한 나이에 사회생활을 시작한다.

남자는 군대를 갔다 온 것을 기점으로 대략 20대 후반에, 여자는 20대 중반에 사회생활을 시작한다. 요즘에는 어학연수나 아르바이트 등의 이유로 휴학이 길어져서 대졸 신입사원의 연령대가 더 높아졌다. 대략 20대 후반에서 30대 초반이 신입사원이 되는 연령대라고 치면 그로부터 10년에서 15년 후의 이직을 생각해 보아야 한다.

만약 30대 중반이라면 가장 일을 많이 할 때이고 업무적으로도 성과를 많이 낼 수 있는 나이대에 접어들었다고 볼 수 있다. 30대 때는 이직을 공격적으로 할 수 있는 시기이다. 본인이 얻고자 하는 직급, 연봉 혹은 꿈에 그리던 회사에 그 동안 쌓은 경력을 가지고 옮길 수 있다. 단, 얻고자 하는 것이 단순해야 한다. 다 버리고 우선순위 제일 꼭대기에 남아있는 하나만 생각하고 이직을 해야 한다. 가령, 배우자가 아파서 이직을 해야 한다면 아무리 잘 나가는 30대라 하더라도 연봉이 줄더라도 고정적인 수입을 받으면서 가정생활에 더 많은 시간을 투자할 수 있는 곳으로 이직해야 한다.

그냥 지금과 아무런 달라진 조건이 없는데, 스카우트

제의가 왔다면 어떻게 하겠는가? 그럴 때 앞서 말한 본인이 처한 상황보다는 본인이 앞으로 2~3년 내에 처할 상황 즉, 나이라던가 업계에서의 흐름 등을 잘 분석해본 후 이직을 선택해야 한다.

이직은 힘든 일이고 또한 기회를 만드는 희망찬 일이기도 하다. 다시 또 회사를 옮겨야 하는 상황이 왔을 때 고민하지 말고, 6개월에 한 번씩 본인의 이력서를 업데이트하는 일을 권한다. 자신이 어디에 서 있는지 얼마나 성장했는지 그리고 또 얼마나 속 빈 강정처럼 일하고 있는지를 바로 알게 해줄 것이다. 이직은 직장생활을 하는 기간 내내 준비하고 있어야 하는 일이지 닥쳤을 때 해야 하는 일이 아니기 때문이다.

보험에 왜 가입하는가? 불확실함에 대해 투자를 하는 것이다. 이직 또한 마찬가지이다. 내게 닥쳐오지 않으면 좋겠지만, 만약 닥쳐온다면 준비된 상태에서 최상의 조건으로 최적의 선택을 할 수 있게 준비되어 있어야 한다.

이직코칭

1. 만약 지금 있는 직장에서 이직을 해야 한다면 이유는 무엇인가요?

2. 스카우트 제의가 들어온다면 어떤 기준으로 판단하겠습니까?
3. 본인의 이력서를 가장 최근에 업데이트한 게 언제인가요? 지금 당장 확인해봅니다.

3.

옮기기로 결정하면 시작해야 하는 것들

회사를 옮기기로 했다.

이제 이 회사는 나의 회사가 아니다. 회사가 나를 밀어냈든, 내가 회사에 대한 마음을 거두어 들였든 상관없다. 한 가지 반드시 주의해야 할 점은, 회사에 재직 중이면서 이직을 하는 것과 소속이 없는 상태로 이직을 시도하는 것은 하늘과 땅 차이라는 것이다. 가능한 한 회사에 재직하면서 이직을 준비해야 한다.

이직에 관한 결정은 인생에 관한 결정이다. 자본주의 세상에서 직장생활은 기본적인 생존이 보장되어야 한다. 즉, 가업을 이어받기 위해서나 이미 오래전부터 준비해 온 새로운 분야에 대한 이유 때문에 퇴사를 결심한 게 아니라, 조직에서 조직으로 옮기기로 결정했다면 회사에 다니고 있어야 한다.

왜냐하면, 첫 번째 가장 중요한 점은 연봉 즉, 몸값이다. 채용면접전문관으로 활동하면서 경력직의 이력서를 볼 때면 꼭 확인하는 부분이 있다. 바로 지금 재직 중인지 여부와 또 한 가지는 이직 횟수였다. 그 이유는 논리적으로 설명할 수 없는 사람의 심리일 수 있는데, 재직 중이지 않은 사람은 무언가 이유가 있다는 생각이 들곤 한다. 그게 긍정적인 쪽보다는 부정적인 쪽으로 생각을 더 하게 된다는 점이다. 비슷한 업종이나 동종업계로 옮길 사람인데 이직할 회사를 정하지 않은 상태에서 이미 그만둬버렸다면 분명히 그럴만한 이유가 있을 거라는 추측 때문이다.

분명히 상사와 너무 사이가 안 좋거나 혹은 너무 안 좋은 일에 연루되어 있거나 아니면 본인이 너무 힘들어서 견디지 못해서 일 수 있다. 직장생활을 어느 정도 한 사람이라면, 최소한 채용을 담당하는 중견의 인사팀장이라면 그 정도는 말하지 않아도 안다.

문제는 회사에서의 채용은 지극히 제한적이고 짧은 시간 내에 결정된다는 점이다. 인사팀이나 면접관으로서는 여러 가지 변수를 충분히 고려할 정도의 인재가 아니라면 가능한 한 큰 하자가 없는 인재를 선호하는 경향이 매우 높다. 새로운 회사도 회사다. 실력이 뛰어나면 좋겠지만, 지식을 제외한 다른 부분에서는 무던한 사람을 선호하는 것이 당연하다.

두 번째, 이직의 횟수가 마이너스가 되는 요인도 비슷하다. 실제로 어떤 기업은 헤드헌터를 통하여 사람을 찾을 때 아예 이직횟수가 3회 이상인 지원자는 아예 서류접수의 기회조차 주지 않는다. 그래서 이직에 대한 결정은 매우 중요하다. 그럼에도 이직을 하기로 했다면, 이제부터 이직작업에 착수해야 한다. 다른 동료나 상사가 보기에 나는 어제의 나와 같지만, 오늘부터의 나는 다르다. 회사와의 이별을 준비해야 한다. 어떻게 준비할 것인가?

이제 회사를 그만두면 다시는 이 꼴보기 싫은 인간을 안 볼 거 같은가? 그럴 수도 그렇지 않을 수도 있다. 그런데 볼 수도 있다는 쪽에 가능성을 두어야 한다. 특히 동종업계라면 평생 만나지는 않아도 나에 대한 소문은 누구라도 낼 수 있다는 것을 명심하자. 대부분의 경력직은 헤드헌터를 통한 채용 시 레퍼런스 체크를 한다. 심지어 채용을 예정한 회사의 인사팀장이 지원자의 회사에 헤드헌터라고 거짓말을 하고 직접 전화해서 지원자에 대해서 물어보는 것을 직접 경험한 적도 있다.

내 주변의 사람들과의 관계를 어떻게 마무리할 것인가를 생각하자. 본인이 그만둠으로 인해서 가장 피해를 당할 사람이 누구인가? 즉, 내 업무를 당분간이라도 떠맡을 사람이 누구인가? 나의 사수인가? 혹은 바로 밑의 후배인가? 설령, 그가 이직의 결정적인 원인을 제공했다 하더라도 이제부터는 그는 나의 관리대상이 되어야 한다. 잘 해줘야 한다. 최소한의 예의를 갖추고 정중히 대해주어야 한다. 그리고 관계가 나쁘지 않았다면 조금 더 친밀감을 느낄 수 있도록 커피를 산다든지, 이야기를 들어준다든지 인간적으로 그 사람이 조만간 듣게 될 나의 이직에 대하여 놀라거나 불만을 최소화할 수 있도록 해야 한다.

핵심적인 인물에 대한 관리뿐만 아니라 주변 사람들에 대한 관리도 중요하다. 주변 사람들에게 커피도 사고 너무 까다롭게 굴지 않는 사람이 되어야 한다. 그러면서 내가 맡은 업무가 얼마나 힘이 드는지 혹은 부담되는지에 대하여 호소해야 한다. 아니면 내가 가지고 있는 비전에 대하여 조금씩 흘리면서 회사에서 하는 업무와 비전이 조금은 맞지 않는다는 식의 뉘앙스를 흘려야 한다. 꼭 그래야만 하는가? 라고 반문한다면 다시 질문하고 싶다.

이직한 회사에서 잘 적응하고 싶은가? 거기에 수긍한다면 필자의 조언대로 하시라. 필자 또한 대부분의 이직을 헤드헌팅보다는 주변 사람들의 추천으로 했다. 전 직장에서 일하던 동료가 추천해줘서 전전 직장의 선배가 연결해줘서 되는 식으로 평판은 살아서 강력한 위력을 발휘했다.

자료에 대한 관리도 매우 중요하다. 요즘은 보안 때문에 본인이 만든 자료를 외부로 반출하기가 어렵다. 도덕적으로 문제가 되지 않는 선에서 내가 이 회사에서 만들어낸 여러 작업물이나 결과물에 대하여 챙겨야 한다. 그것은 옮겨가는 회사에서 당장 사용될 중요한 무기이다.

기억하라. 당신이 옮겨가는 회사에서는 당신이 지금 하는 그 일의 전문성과 성과를 높이 사서 십 원이라도 더 돈을 주고 당신을 데려간다는 사실을. 이직한다고 하면 대부분 내가 옮겨갈 곳에 대한 것만 정해지면 된다는 생각을 많이 한다. 그리곤 막상 가게 되면 내 편을 들어 줄 누군가가 아무도 없다는 상식을 생각하지 않는다. 본인이 만들었던 자료는 새로운 조직에서 잘 적응하는 데 큰 도움이 될 것이다. 또한, 구축해놓은 레퍼런스는 혹시 모를 위험에 대한 일종의 보험으로 충분히 값어치가 있다는 점을 꼭 기억하자.

이직코칭

1. 이직하려는 이유가 무엇인지 정리해보고 면접관에게 설명하듯이 직접 말해봅니다.
2. 지금 다니는 회사에서 마무리해야 할 것들에 대해서 정리해 봅니다.
3. 이직하기 전에 주요하게 관리해야 할 대상은 누구이며 어떻게 시작해야 할까요?

4.

헤드헌터를 통해서 이직하는 핵심 노하우

경력직으로 회사를 옮길 때는 보통 3가지의 방법이 있다. 첫째, 본인 스스로 구직사이트에서 적당한 회사를 찾아서 직접 지원하는 방법 둘째, 아는 지인이나 네트워크를 통해 소개를 받아서 회사를 구하는 방법 그리고 헤드헌터를 통해서 구직에 성공하는 방법이다. 헤드헌터를 통해서 이직하는 경우는 2가지로 나뉘는데 일단 본인이 구직사이트에서 헤드헌터가 올린 공고를 보고 지원하거나 본인은 아무 활동을 하지 않았는데 헤드헌터가 나의 연락처를 알아서 먼저 연락이 오는 경우이다.

가끔 직장생활을 하다가 의도치 않게 걸려오는 헤드

헌터의 전화는 그래도 내가 사회생활을 어느 정도는 하고 있다는 것을 확인해주는 효과도 있어서 기분이 우쭐해지기도 한다. 헤드헌터가 연락이 오면 통상적으로 잠재지원자에게 회사에 대한 정보를 주지 않고 찾고 있는 직무에 대한 설명을 한 후 지원 의사가 있는지를 묻는다. 지원 의사가 있다면 헤드헌터는 회사 이름을 공개하고 좀 더 자세한 회사 정보를 제공해 준다. 지원하는 사람은 헤드헌터가 제공한 양식에 맞추어 이력서를 작성하고 제출한다. 특히, 헤드헌터가 해당 회사에서 근무했던 경험이 있다면 지원하는 사람의 처지에서는 상당히 기대감이 커지게 된다.

필자도 예전에 헤드헌터가 실제 근무했던 회사라고 적극 추천해서 지원했다가 당혹스러웠던 기억이 있다. 면접에 들어가니 헤드헌터가 말해 준 정보와는 다른 업무를 뽑는 자리였고 냉소적인 면접관을 만나서 상당히 힘든 면접을 경험했다. 면접을 통과하지 못한 건 당연하고 헤드헌터라고 해서 모두 믿을 건 아니란 걸 깨닫기도 하였다. 하지만 요즘에는 헤드헌터에게 서류심사에 대한 권한을 어느 정도 위임하는 회사도 많아서 헤드헌터라고 우습게 보고 예의 없게 대했다가는 낭패를 당하기도 하니 조심해야 한다.

헤드헌터라고 해서 무조건 그의 말을 따를 필요는 전혀 없다. 일반적으로 구직자가 가지는 정성보다 헤드헌터는 한 건의 수임료를 생각하는 경우가 더 많다. 모든 헤드헌터가 다 그런 것은 아니지만, 헤드헌터가 지원자의 직장 인생을 책임져줄 이유는 전혀 없다. 그에게는 헤드헌팅이 하나의 생계수단에 지나지 않을 수도 있다.

보통, 헤드헌터와 구직 프로세스를 진행할 때에는 구직자는 공손하고 헤드헌터는 상당히 깐깐하게 대하는 경우가 많다. 구직자가 원하는 만큼의 정보를 주지도 않고 자주 연락을 주지도 않는다. 그러다가 면접이 진행되고 합격 쪽으로 채용이 기울어가면 헤드헌터가 매우 친절해진다. 이런 경험을 자주 했었는데 이유는 합격하게 되면 수임료가 발생하기 때문이다. 이때부터 구직자가 생각했던 것보다 자주 연락이 온다. 구직자는 연봉이나 조건 등의 이유로 회사를 옮길 것인가 아닌가로 고민을 하게 되면서 대응은 뜨뜻미지근 해진다. 처지가 바뀐 것이다. 이직이 완료되어도 채용을 한 회사에서는 입사한 사람이 3개월 이내에 퇴사하게 되면 헤드헌터에게 지급한 수임료를 다시 반환받을 수도 있다. 그래서 헤드헌터로서는 옮긴 사람도 관리해야 하는 상황이 되기도 한다.

이유야 어찌 되었건 헤드헌터가 이야기해준 회사의 분위기나 문화는 실제로는 더 안 좋을 수 있다. 당연히 헤드헌터는 회사의 좋은 점을 강조해서 구직자에게 이야기했을 것이고 안 좋은 점은 최대한 공개하지 않았을 것이다. 그리고 설사 헤드헌터가 그 회사에서 근무했던 사람일지라도 회사의 분위기나 문화는 수시로 바뀐다. 그렇기에 헤드헌터가 주는 정보를 구직자 자신이 잘 고려해서 들어야 한다.

또한 헤드헌터가 연봉협상을 대신해 주지 않는다는 점도 알아야 한다. 헤드헌터는 일을 마무리 짓고자 하는 사람이다.

결국 헤드헌팅을 통한 이직은 내가 알지 못했던 좋은 정보를 습득하는 과정 이상 이하도 아니다, 본인 스스로 헤드헌터와의 채용과정을 이끌고 회사와의 협상에서도 직접 적극 임해야 한다. 그렇지 않고 모든 것을 맡긴다는 것은 내가 하기 싫으니까, 이직하는 회사의 인사담당자에게 안 좋은 인상을 혹시라도 남길지 모르니까 회피하고 싶은 마음을 에둘러 표현하는 것이다. 그러나 결국 책임은 본인의 몫임을 기억하자.

입사하자마자 그런 찜찜한 기분 때문에 마음 한편이

불편하지 않으려면 입사하기 전에 최대한 자신의 견해를 명확하게 내놓는 것이 좋다. 보통은 이러다가 입사가 취소되는 건 아닐까 하는 생각이 생기기 마련이다. 그렇지만 회사 차원에서도 너무 큰 차이가 아니라면 최종합격한 사람을 당연히 잡으려고 한다. 그동안 들인 시간과 공이 있기 때문이다. 그러니 예의를 갖추되 본인의 역량과 경력이 평가절하되지 않도록 마지막 온 힘을 기울이는 것이 필요하다.

이직코칭

1. 본인이 경험했던 헤드헌터와의 진행과정을 적어봅니다. 누가 주도권이 있었나요?
2. 본인이 헤드헌터라면 자신의 어떤 점이 가장 경쟁력이 있을까요?
3. 지금 당장 레퍼런스 체크를 부탁할 사람이 있는가요? 없다면 누구에게 부탁을 할지 생각해봅니다. 그리고 직접 그 사람에게 부탁해 봅니다.

5.

효과적인 이력서와 자기소개서를 쓰는 방법

코로나 팬데믹이 오기 전에는 대학의 취업센터가 취업을 준비하는 대학생을 일정한 공간에 집합시켜서 취업캠프를 개최하곤 했다. 필자는 대학생 취업캠프에는 꼭 시간을 내어서 채용전문관 자격으로 참석하여 현장에서 경험한 내용을 공유한다. 전체 시간 중 자기소개서를 효과적으로 작성하는 방법을 알려주고 실습하는 시간이 있는데 그럴 때마다 학생들에게 강조한다.

이력서가 통과되었다면, 이제 이력서는 잊어라. 면접싸움이다.

즉, 이력서가 통과되었다는 말은 서류가 통과되었다는

말이다. 그렇다면 이력서상에 적혀 있는 내용을 면접 시에 지원자가 어떻게 답변하느냐에 합격이 달려있다고 봐도 무방하다.

대학을 갓 졸업한 인력을 대상으로 하는 이력서 작성 실습은 경력을 적어야 한다는 점에서 개인마다 크게 차별화시키는데 한계가 있다. 즉, 대학 재학 시 했던 활동들이 거의 유사하다. 학내 동아리 활동, 비슷비슷한 봉사활동 그리고 아르바이트 활동 등 크게 다르지 않다. 그렇다고 없는 사실을 했다고 적는 것은 더욱 안 될 일이다.

그렇다면 어떻게 차별화에 성공할 수 있을까? 성공적인 자기소개서의 핵심은 바로 차별화이다. 결국, 차별화는 면접관을 설득하게 된다. 예를 들자면, 경영학과를 나온 지원자가 마케팅업무에 지원했다. 그런데 학교도 명문대는 아니고 학점도 중간 정도이며 영어점수도 그다지 높지 않다. 타 지원자와 크게 차별점이 없어 보인다.

필자라면 이렇게 말할 거 같다. "저는 학창시절부터 마케팅과 관련된 여러 가지 경험을 하고 싶었습니다. 자기소개서상에 본인의 강점을 적는 난에 제가 경험한 몇 가지를 적었습니다. 저는 A 회사에서 마케팅 보조로 일할 때, 다른 사람들보다 먼저 출근했습니다.

일을 시작할 때는 상사의 지시를 최대한 이해한 후 시작했습니다. 그날의 일을 마친 후에는 제가 수행한 내용에 대하여 상사에게 보고 후 퇴근하였습니다. 간혹 집에 가다가 제가 하고 있는 일과 관련된 기사나 정보를 검색하게 되면 상사에게 카톡으로 제공해 드리기도 했습니다. 먼저 아는체하지는 않았지만 알게 된 정보 중 필요하다고 판단되면 상사와 동료에게 적극 공유하였습니다.

그렇다고 제가 인간관계만으로 사회생활을 잘하려고 했던 것은 아닙니다. 제 성적표 상의 마케팅원론의 학점을 보시면 A 플러스입니다. 저를 지도해주셨던 교수님은 업계에서 상당히 많은 기업의 사례를 분석하신 경험이 있어 이론과 실제를 잘 접목해 주셨던 분입니다. 또한, 저는 조 활동에서도 리더로서 조원들을 이끌었고 파워포인트 제작 및 발표도 제가 직접 했습니다."

위의 발언으로 지원자는 3가지를 면접관에게 차별시키고자 했다. 첫째, 인성이다. 성실과 근면은 채용담당자가 지원자에게 바라는 가장 기본적인 태도이다. 한 번의 면접으로 인성을 평가한다는 것은 불가능하다. 하지만 면접관은 그 짧은 시간에 지원자의 인성이 어떠한지를 최대한 파악해야 하는 막중한 책임감이 있다. 그런 측면에서 지원자가 제시하는 인성과 관련한 발언은 면접관의 관심을 끌기에 적합하다.

두 번째, 단순한 점수가 아니라 마케팅이란 분야에 대한 열정을 이야기했다. 집에 가면서도 자료를 찾았다는 단순한 설명이 일을 마친 후에도 정말 관심이 있었다는 점을 알 수 있게 하였다. 열정은 지원자가 얼마나 적극 업무에 몰입할 수 있을지 가늠할 수 있게 한다. 어떠한 면접관도 졸린듯한 눈에 세상사에 관심이 없는 지원자를 선호하지 않는다. 더더욱 마케팅업무에 지원한 사람이라면 훨씬 더 그러할 것이다.

그리고 마지막으로 객관적인 학점으로서 마케팅점수가 높았음을 면접관에게 인지시키면서 증명 가능한 사실을 제시하였고 조 리더로서 활동한 본인의 리더십도 포함하였다.

필자가 면접관으로 있으면서 아쉽게도 본인의 전공과목 중 어떤 과목이 몇 점인데 그렇게 훌륭한 점수가 본인이 지원한 업무와 어떤 식으로 긍정적으로 연관된다고 연결해서 말하는 경우를 본 적이 없다. 경력직도 마찬가지로 적용할 수 있다. 특히, 경력직은 본인이 실제로 수행했던 실적을 바탕으로 이야기하기 때문에 불필요한 이야기는 거의 하지 않는 경우가 많다. 자신이 실제 수행한 경험을 바탕으로 자신의 가치를 평가받고 그 평가받은 가치가 연봉과 대우로 직결된다. 만약, 거짓으로 본인의 경력을 과장해서 입사한다고 해도 3달 이내에 바로 드러나서 불미스럽게 퇴사할 수 있다는 점을 항상 염두에 두어야 한다.

필자의 사례를 들어 보자. 파나마에서 귀국한 후 국내 모기업의 재무부문의 자금 팀원 자리에 지원을 하게 되었다. 취업 요건 중에는 재무를 잘해야 한다든지 학점이 어느 정도 되어야 하는지 등 내용은 없었고 특이하게도 영어 우수자는 우대하겠다는 문구는 포함되어 있었다. 신입사원으로 지원하는 때였기에 아마도 외국과 관련된 자금업무를 하는 업무라 생각하고 지원했다.

영어는 파나마에서 직장 생활했던 바가 있으니 겁이 나진 않았다. 다만 재학 시 수강한 재무 쪽 관련 과목이 많지 않았고 학점이 좋지 않았다. 어찌 되었건 지원을 했다. 운이 좋았는지 이력서가 통과되었으니 면접을 오라는 통지를 받았다. 기쁘면서도 난감했다. 재무 관련 질문이 나오면 영락없이 불리할 것이란 생각이 들었기 때문이다. 면접 당일이 되어서 회사로 가니 2명의 면접관이 반겨주었다. 역시 자기소개를 한 이후에 염려했던 전공과목에 대한 질문이 나왔다.

"저는 전공과목 중 재무 분야에 대한 과목을 많이 이수하지 않았습니다. 또한, 학점도 높지 않습니다. 맞습니다. 그리고 일리 있는 말씀입니다. 그렇지만 제가 자금업무라는 것을 조사해 보았더니 자금업무는 자금업무라는 본질적인 돈과 관련된 업무 외에 다른 요소가 있었습니다. 즉, 생각보다 많은 사람을 만나는 일이었습니다.

회사 내부적으로는 사용한 경비를 정리할 목적으로 모든 부서의 사람들이 자금부서와 업무를 할 것이고 외부적으로는 은행이나 증권 등 다양한 외부사람들과 업무를 해야 합니다. 저는 파나마에서 정말 다양한 업종의 사람들을 만났습니다. 그래서 영업을 하는 사람들, 사무만 보는 사람들의 특성을 부족하나마 조금은 알고 있습니다. 더 정확하게는 일하는 업무에 따라서 사람의 행동특성이 다르다는 정도는 알고 있습니다.

이 점은 제가 자금업무를 수행하는데 매우 중요한 부분이라고 생각하며 저는 이 부분에서 실제 현장에서 많은 경험을 쌓았습니다. 입사하게 된다면 제가 부족한 자금지식이나 경험을 온 정성을 쏟아서 배우겠습니다. 이 회사에 멋진 선배님들이 계실 텐데 가르침을 받아 저의 의지와 노력으로 최대한 빨리 배우겠습니다."라고 답변했다. 결과는 합격이었다.

내가 가진 지식과 이력이 이 회사에 어떻게 적용될 수 있을까를 고민하여 여러 사람에게 묻고 준비해 간 답변을 했던 부분이 긍정적으로 활용되었던 거라 생각이 든다.

이력서와 자기소개서를 잘 쓰려면 우선 본인이 무엇을 했는지 정확한 사실을 기록할 수 있어야 한다. 본인의 전공, 학점 및 대외활동이 지원하는 이 회사와 어떻게 관련성이 있는지에 대하여 일관성을 확보할 수 있어야 한다. 그리고 면접관으로부터 가장 받고 싶은 질문이 무엇인가를 직접 적어봐야 한다. 그것을 평어체로 바꿔서 자기소개서에 넣어야 한다.

현실에서 우리는 신규 취업이나 경력으로 이직하기 위해서 이력서를 쓴다. 그런데 어떤 때는 작성한 이력서 한 장을 가지고 내용은 안 바꾸고 회사이름만 바꿔서 넣기도 한다. 너도나도 다 해 본 경험이다. 만약 그렇게 해서라도 이력서가 통과되었다면 어떤 이력서를 넣었는지를 정확히 파악하고 그 내용을 머릿속에서 흐름에 맞게 정리해서 가야 한다.

세상에 공짜는 없다. 자기소개서를 쓰고 또 쓰다 보면

이게 소설인가 싶을 때도 있다. 뭐 하고 있는지 싶은 날도 많다. 그럼에도 그렇게 꾸준히 할 수밖에 없다. 그래서 불필요한 내용을 삭제하고 글을 다듬고 또 다듬어야 한다. 그리고 그 성과는 반드시 돌아온다. 보장한다.

이직코칭

1. 본인이 작성한 이력서와 자기소개서의 가장 매력적인 포인트를 찾아봅니다.
2. 본인이 면접관이라 생각하고 본인의 자기소개서를 보면서 하고 싶은 질문을 만들어 봅니다.
3. 면접에서 질문을 받으면 가장 경쟁자와 차별화할 수 있는 내용과 답변은 무엇인가요?

6.
직장은 옮길 때가 아니라 옮기려는 때가 더 중요하다

얼마 전 예전 직장에서 함께 일했던 후배로부터 연락이 왔다. 현재 다니고 있는 직장이 맘에 안 들어서 다른 직장으로 이직을 고려하고 있다고 했다. 이유를 들어보니 회사는 업무 강도나 비전은 괜찮은데 직속 상사가 전문성이 전혀 없고 모든 일을 본인에게 다 떠넘겨서 버겁다는 고충을 토로했다.

그러던 와중에 우연히 헤드헌터로부터 연락이 왔다고 한다. 새롭게 제안받은 회사는 성장세에 있고 무엇보다도 연봉이 아주 높다고 했다. 그런데 회사가 서울이 아닌 다른 지방에 있어서 입사하게 되면 기숙사 생활을 해야 하는 점이 고민이 된다고 했다. 더욱이 이미 서류도 통과되었고 면접도 1차는 이미 보았는데 헤드헌터 말로는 해당 팀장이 본인에 대해서 큰 결격사유가 없는 한 선발할 것이라고 귀띔을 주었다고 한다.

본인이 원하면 이직은 확정되는 상황인데 아직 본인이 완전한 확신이 들지 않아서 필자에게 문의해 온 것이다. 이런 경우는 여러 가지 상황을 하나하나 냉정히 살펴보기보다는 본인의 선택에 힘을 실어주는 대답을 기대하는 경우가 많다.

그 후배는 내후년이면 40세가 된다. 다행히 아직 싱글이라 본인만 챙기면 된다. 그리고 관련 전문성을 기르기 위해 주경야독했던 대학원을 작년 말에 졸업했다. 흔한 말로 몸값을 올리기에 괜찮은 시기이고 싱글이기에 지방에서 사는 것도 본인만 괜찮다면 문제 될 것은 없어 보였다.

후배에게 필자의 의견을 자세히 말해주었다. 6개월 전에 필자와 상담을 했을 때와 회사의 간판만 다르지 해야 하는 업무가 크게 다르지 않은 거 같다. 그렇다면 회사가 중요한 게 아니라 본인이 하고자 하는 일, 일 하고 싶은 회사에 대한 비전을 다시 한번 생각해보는 게 어떠냐고 넌지시 물어봤다. 연봉에 관한 이야기는 일절 하지 않았다.

후배는 그 말은 맞는다고 했다. 그럼에도 옮겨가려는 회사의 연봉이 자신을 계속 끌리게 한다고 했다. 결국, 후배의 관심사는 연봉이었다. 이야기를 충분히 들어 준 후 필자는 연봉을 최대한 올려서 가라는 말 정도만 하고 전화를 끊었다.

20년간 필자 스스로 이직을 해보고 수 많은 사람을 상담하면서 깨달은 평범한 사실은 세상에 공짜는 없다는 말이다. 세상에 돈을 많이 주면서 일의 강도가 적은 회사는 없다. 현재 다니고 있는 직장을 온전히 맘에 들어 하는 사람은 거의 없다. 그 틈을 비집고 헤드헌터의 제안은 달콤하게 다가온다. 정말 감사하게도 매우 적절한 시기에 운도 맞아서 이직할 필요가 있는 때도 있지만, 대부분은 헤드헌터가 큰 의미 없이 한 연락일 가능성이 높다.

헤드헌터는 가장 많은 사람의 이력서를 받아서 가장 최적의 인재를 고객에게 제안하는 것이 직업이다. 그렇기에 작정하고 그 사람을 찍어서 제안해 온 경우가 아니라면 그냥 하나의 제안 그 이상 그 이하도 아니다. 그럼에도 제안을 받은 사람의 심리는 현재 재직 중인 직장의 나쁜 점을 모조리 찾아서 본인과 맞지 않는 점을 합리화하고 헤드헌터가 제안한 회사의 좋은 점을 어떻게든 본인의 상황에 맞추어서 극대화한다. 이직해야 하는 이유를 스스로 만든다. 왜 그럴까?

일반적인 직장생활이란 어느 정도 해보면 알겠지만 다른 사람과 크게 다르지 않다. 아침 9시경에 출근하고 밤 6시경에 퇴근한다. 각자 업무와 고충은 다르지만 큰 시계틀 안에서 보면 8시간에서 12시간 이내에 하루가 간다. 업무가 한 달 만에 일취월장하는 것도 아니고 법적으로 보장되는 직업이 아닌 한 미래가 보장되는 것도 아니다.

그렇기에 언제 잘릴지도 모르는 것이고 또한 그렇기에 지금 온 기회가 더욱 크게 보이는 법이다. 기회를 잡는다는 점은 중요하다. 그러나 본인이 준비되어 있는가를 제안을 수락하는데 앞서 냉정하게 살펴봐야 한다. 세상에 공짜는 없다는 진리 하나만 머릿속에 염두에 두고 있더라도 헤드헌터의 제안으로부터 최대한 객관적으로 본인의 상황을 바라볼 수 있다.

현재 하는 일이 맘에 들지 않는다고 불평하는 사람들에게 물어보고 싶다.

그 직장에 다니기 전에는 지금과 같은 안 좋은 상황이 벌어질지 알았느냐고 물어보면 물론 몰랐다고 할 것이다. 그렇다면 옮겨가고 싶은 회사의 상황을 낙관적으로만

봐야 하는 거냐고 다시 물어본다. 그에 대한 대답 또한 아니라고 답할 것이다. 그렇다면 이직을 하기 위해서 그런 제안이 왔을 때 본인에게 있어서 가장 중요한 이직을 하는 요인은 무엇인가?

연봉, 비전, 승진, 복지혜택, 안정성 등 자신만의 고민 아래 나온 직장에 관한 기준이 있어야 한다. 특히, 사람과의 관계를 본인이 얼마나 잘 만들어가는 스타일인지 아닌지를 반드시 알고 있어야 한다. 직장생활이란 실상 사람과 사람 사이에서 이루어지는 관계이다.

코로나 탓에 재택근무가 훨씬 많아지는 요즘에는 사람과의 관계보다는 업무적인 지식이나 전문성의 가치가 훨씬 더 높아지는 게 사실이다. 그럼에도 온라인상에서 사용하는 이메일, 화상회의 등 사람과 사람이 만들어가는 관계는 그다지 크게 달라지지 않는다고 필자는 생각한다.

얼굴을 마주 보고 일을 하는 것만이 사람과의 관계가 아니다. 업무 때문에 사용하는 이메일 한 통, 연락하면서 주고받는 짧은 대화 속에도 사람과의 관계가 있다. 결국, 자신이 중요하게 생각하는 일에 대한 가치, 온라인과 오프라인상에서의 만들어가는 사람과의 관계 그리고 현실적인 자신의 처지 등을 고려한 상황에서 이직을 결정해야 한다.

어떤 인생을 살고 싶은가? 앞으로 2~3년 뒤 본인은 어디에 서 있을 것인지 상상해 보았는가? 최소한 이러한 질문에 대하여 진지하게 답변할 수 있어야 한다. 이러한 목적이 있지 않다면 그때그때 다가오는 헤드헌터의 제안에 휘둘릴 수밖에 없다. 그렇게 세월은 간다.

가만있는 것보단 실행하는 것이 더 낫다는 말이 이직은 조금 다르다. 이직은 한 번 가면 되돌아올 수 없다. 이력서상에 기록이 남는다. 이력을 적지 않는다는 것은 경력을 인정받지 않겠다는 의미와 같다. 그만큼 받아야 할 연봉을 받지 못한다는 말이기도 하다.

목적을 가진 이직이어야 직장을 옮긴 이후에 조직에 제대로 적응할 수 있다. 다시는 이직할 수 없다고 스스로 가정해보자. 본인에게 있어서 마지막 직장이라는 생각으로 이직해야 하는 이유와 본인이 지향하는 인생에 대해서 생각해보자. 그런 후에 헤드헌터의 제안을 검토하자.

이직코칭

1. 지금 근무하는 직장이 본인에게 좋은 점과 만족스럽지 못한 점은 무엇인가요?
2. 본인은 사람과의 관계를 잘 맺는 유형인지 아닌지

적어봅니다.

3. 이번이 마지막 이직이라면, 그럼에도 이직을 해야만 하는 이유가 무엇입니까?

7.

첫 출근 이후 3일. 아무도 도와주지 않는다

모 대기업에 조직문화 담당자로 입사했을 때의 일이다. 조직 내부의 과거 자료가 필수적으로 필요한 업무를 입사하자마자 맡았다. 그 분야의 전문성을 인정받아 입사했기에 업무를 하는 방법은 잘 알고 있었다. 문제는 업무를 하기 위한 원천자료가 필요한데 이걸 누구한테 가서 받아야 하는지 어느 부서에 가서 문의해야 하는지에 대한 정보가 전혀 없었다. 필자의 직속상사 또한 이런 업무를 해 본 적이 없었기에 가지고 있던 자료가 거의 미비했다. 그렇게 시간이 흘러갔다.

그래서 직속상사에게 이러한 사정을 설명하고 조금이

라도 관련된 사람들을 모아 달라고 요청했다. 바쁘다면 둘째가라면 서러워할 회사의 팀장 몇 명과 부사장이 대상이었다. 그렇게 바쁜 분들을 한 자리에 모으는 데는 성공했다. 필자가 입사하게 된 이유와 하고자 하는 일에 대해서 아주 간략히 설명하고 이를 수행하기 위하여 자료나 정보가 필요하다고 도움을 요청했다. 그때야 모인 사람들이 필자가 왜 입사했는지도 몰랐다면서 흔쾌히 자료를 주고 설명을 해주었다. 그중에는 한 임원이 30년 동안 직접 받아 적은 CEO의 어록 등 필자로서는 도저히 구할 수 없는 소중한 자료도 있었다. 그렇게 해서 경력직으로 이직 후 맡은 첫 업무를 무난히 수행할 수 있었다.

그렇다. 조직 내의 사람들은 내가 무슨 일을 하는지 모른다. 아니 본인과 크게 관련이 없다면 별로 알려고 하지 않는다. 알기도 힘들다. 다들 자기 일이 바쁘기 때문이다. 적대시하거나 테스트를 하는 게 아니라 정말 모를 수 있다. 다만, 이번에 입사한 경력직이 최대한 빨리 능력을 보여주어서 업무의 병목현상을 풀거나 어려운 부분을 해결해주기를 바랄 뿐이다.

입사 이후 3일 이내 경력직으로서 해야 할 일은 최대한 빨리 조직을 파악하는 것이다. 최소한 나의 상사와 부하직원에 대하여 최우선적으로 파악해야 한다.

경력직으로 입사하면 바쁘다. 두서없이 바쁘다. 이 사람이 불러서 가고 저 사람이 불러서 간다. 저녁에는 뭔지도 모르는 회식자리에 입사했다는 이유만으로 끌려가기도 한다. 그럼에도 3일 이내 반드시 해야 하는 일이 있다. 본인의 팀원들을 1:1로 면담을 해야 한다. 그래서 팀원들 개인의 성향도 파악하면서 이 업무의 실세가 누구인지 업무를 위해서 접촉하고 관리해야 하는 사람이나 부서가 어디인지를 팀원을 통해서 들어야 한다.

또한, 직속상사와 반드시 짧게라도 독대를 해야 한다. 독대를 통해서 상사의 일하는 방식이 어떤 것인지 그리고 상사가 가장 중요하게 생각하는 업무방식이나 회사의 방침이 무엇인지를 정확히 묻고 확인해야 한다. 그래서 즉각 보고를 해야 하는지 어느 정도 이메일로만 보고하면 되는지 등 사소하면서도 일상적으로 지속하는 업무행태를 알고 시작해야 한다.

필자가 아는 어떤 회사는 입사 후 3개월이 되는 시점에서 360도 다면평가를 한다. 본인이 만약 팀장이라면 팀장의 상사 그리고 팀장의 동료로부터 객관적인 평가를 받는다. 업무처리, 대인관계, 리더십, 협력 등 다양한 측면에서 개인을 평가하고 결과를 바탕으로 성장시키는 데 목적에 있다.

여기서 한 발짝 더 나아가 팀원의 평가까지 포함하는 게 360도 다면평가다. 실제 함께 일하는 부하직원들에게 평가를 받는다는 건 막 입사한 경력직 입장에서는 업무추진 면에서 심각할 수 있다. 왜냐하면, 경력직으로 입사했기 때문에 본인의 역량을 보여주어야 하는 압박감이 상대적으로 크게 작용하고 시간은 부족하다. 성과를 내기 위해서는 어쩔 수 없이 팀원들을 강하게 밀어붙여야 하는 경우가 생긴다. 그런데 아무리 그전 직장에서 잘 나갔다 하더라도 새로운 직장에 오자마자 강한 카리스마를 보이기가 쉽지 않다.

아무것도 파악하지 못한 채 내지르는 카리스마는 독재로 비칠 수 있다. 그렇다고 팀원들의 의견 하나하나를 들어주면서 일을 해나가면 속도가 느려진다. 그렇기에 최대한 빨리 팀원들을 파악해야 하고 무엇보다도 상사를 파악해야 한다. 상사가 일하는 방식을 파악해야 한다.

전 세계 경영자들의 구루라 불리는 피터 드러커는 이를 일하는 방식으로 표현하였다. 가령, 일할 때 본인이 자료를 먼저 읽는 유형reader인지 아니면 일단 만나서 대화를 통해 업무를 파악하는 유형listener인지 곰곰이 생각해봐야 한다. 또한, 혼자 일하는 게 편한 유형인지 함께 어울려 일하는 유형인지에 대하여 자신의 일하는 방식을 정리한다. 그런 후 업무와 관련된 핵심이해당사자 즉, 직속상사나 팀원에 대해서도 같은 기준을 가지고 판단해봐야 한다. 그렇게 파악한 대로 상대방에 맞춰서 일하는 것만으로 상당한 커뮤니케이션의 오류를 방지할 수 있다고 드러커는 조언한다.

앞서 이야기했듯이 자신이 리더라면 반드시 가장 빠른 시간내에 자신이 이끄는 부하직원들을 일대일로 인터뷰해야 한다. 이를 위한 한 가지 팁은 모든 팀원에게 같은 질문을 해야 한다는 것이다. 팀원들의 성향이나 답변에 맞춰서 질문을 바꾸면 안 된다. 동일한 질문을 하고 팀원들이 반응하는 점을 지켜보면서 팀원을 관찰하고 그 전의 팀 분위기와 문화를 추측해봐야 한다. 또한, 팀 내에 실제로 영향력을 가지고 있는 사람이 누구인지를 사전에 파악하여 그 사람을 맨 마지막에 인터뷰해야 한다.

즉, 입사순서나 직급순서대로 하는 것이 아니라 영향

력이 많은 사람을 맨 마지막에 인터뷰하는 방식이다. 이는 영향력이 있는 사람이 맨 처음에 인터뷰하게 되면 그 사람이 인터뷰 직후 다른 동료에게 인터뷰 내용에 대하여 알려줄 것이고 자신의 영향력이 담긴 답변도 넌지시 알려줄 소지가 있다. 그렇게 되면 다른 팀원들은 자신들의 목소리가 아니라 영향력이 있는 팀원의 말을 되풀이하게 되는 경향이 생길 수 있다. 그렇게 되면 인터뷰를 통한 조직 파악은 어렵게 된다. 하버드 비즈니스 리뷰의 말이다.

이직코칭

1. 당신은 Reader입니까? Listener입니까?
2. 당신의 상사(부하)는 Reader인지 Listener인지 추측해보고 자신과 비교해 봅니다.
3. 차이점을 통해 그동안 상사(부하)와의 커뮤니케이션이 어떠했는지 적어봅니다.

8.

제대로 보고하고 제대로 보고받자

역량 있는 경력사원이 입사했다. 회사에서 본인이 해야 하는 업무를 알려주었다. 그렇게 일주일이 지나갔다. 그 사원은 지각하지 않고 출근한다. 근무시간 내내 책상에 앉아서 노트북과 자료를 보고 있다. 무언가 뚝딱거리면서 자료를 만드는 거 같기도 하고 이리저리 메모하기도 한다. 가끔 출력된 종이를 들고 오탈자를 찾는 거 같기도 한다. 그렇게 또 일주일이 지나간다.

당신이 그의 상사라면 그가 과연 일하고 있는지 어떤 일을 어느 만큼하고 있는지 어떻게 판단할 것인가? 신규 입사한 경력사원으로부터 보고를 받으면 된다. 보고를 통해 그가 준비하는 업무의 전체 방향을 파악할 수 있다. 회사가 원하는 바가 들어가 있는지 알 수 있다. 보고하는 경력사원의 보고하는 능력과 태도도 볼 수 있다. 업무를 기한 내 잘 마무리하는지도 파악할 수 있다.

보고는 올바른 방향을 잡기 위해 필수적인 절차이다. 일을 올바르게 시작하면 결과가 좋다. 도중에 문제가 생겨도 방향이 맞는다면 훨씬 해결하기가 수월하다. 따라서 보고는 상사가 원하지 않아도 일부러라도 해야 할 필요성이 있다. 그럼에도 직장을 다니는 직장인 대부분에게 보고는 긴장되고 어려운 일이다. 그 이유가 뭘까?

우선, 보고 자체가 주는 정신적인 압박감이 있다. 그동안 수행한 업무의 과정과 결과가 그 안에 들어가기 때문이다. 일주일 내내 단 한 번의 개입도 없이 믿고 맡겼던 상사에게 과연 어떤 내용이 들어간 보고서를 제출할 것인가는 매우 중요하다. 그냥 일주일이란 시간을 벌었으니 버티자, 그러고 피드백 받고 또 버티자는 생각을 하고 있는 사람은 없을 것이다. 그래서 마감시한이 다가오면 더욱 초조해진다.

두 번째로 보고가 힘든 이유는 특별히 진행된 일이 없어도 보고를 해야 하기 때문이다. 보고라는 의미 자체는 일이 앞으로 진행되도록 한다는 뜻을 내포하고 있다. 지난주와 같은 보고를 하는 사람은 없을 것이다. 분명 일주일간 놀지 않고 열심히 일했다. 그런데 이상하게도 주간회의 때 어떤 일을 얼마나 했는지 보고할라치면 마땅히 거리가 없는 경우가 종종 있다. 그렇다고 무언가 새로운 일을 하는 것도 아닌 경우, 어떻게 보고서를 작성하고 보고를 하느냐는 생각보다 어렵다.

정기적인 보고의 장점은 같은 업무를 다른 각도에서 바라보는 훈련을 하게 해 준다. 교육과정을 운영한다고 하자. 지난 주와 같은 과정이다. 지난주에 이어서 똑같은 과정이 2번 연속 운영되었다고 보고할 수도 있다. 그러나 좀 더 관심을 가져보면 강의한 강사가 다를 수 있고 참석자가 다르다. 그리고 현장의 분위기도 당연히 다르다. 과정 후 설문결과를 보면 같은 과정이지만 결과나 의견이 다르게 나왔을 것이다. 이 점을 파악하고 이에 따른 시사점을 도출해 내는 것 그리고 그것을 보고에 반영하는 것이 제대로 된 보고서이다.

즉, 보고를 제대로 하려면 본인이 하고 있고 맡은 일에 관심을 가질 수밖에 없다. 관심을 가지고 있지 않은 한 제대로 된 보고를 할 수가 없다. 좋은 보고가 지속될 때

상사는 그 사람에 대한 믿음을 가지게 되고 일주일이나 더 한 기한을 주더라도 믿고 맡길 수 있게 된다.

보고를 할 시 주의해야 할 점은 두 가지이다. 첫째, 보고하는 자리에서 지난 주에 있었던 모든 일을 국어책 읽듯이 하나하나 다 열거한다면, 업무에 우선순위가 없다고 보일 수 있다. 보고를 듣는 상사는 지금 보고자가 업무를 제대로 파악하고 있는지 어떤 업무가 보고자에게 중요한 업무인지를 전혀 알 수가 없다. 그렇기에 적절한 피드백을 할 수도 없다. 더욱 가관인 것은 주간회의처럼 본부급 단위로 여럿이 모인 자리에서 주간에 있었던 일을 국어책 읽듯이 보고하는 것이다. 무능력하다는 것을 스스로 드러내는 무지의 소치다. 다른 사람들의 바쁜 시간을 갉아먹는 것이다.

두 번째로 주의해야 할 점은 자신이 무언가를 했다는 것을 드러내고 싶을 때이다. 회의나 보고는 개인의 욕망을 드러내는 자리가 아니다. 우선순위에 따른 사실을 알려주고 이에 대한 원인과 결과를 제시하여 그다음 단계로 일이 진행되도록 돕는 자리이다. 타 부서의 구성원들에게 현재 우리 부서가 하는 일을 알려주어서 미리 있을지 모를 갑작스러운 일에 대하여 양해를 구하거나 지지를 요청하는 자리이다. 현대카드 같은 회사가 보고 시에 파워포인트로 자료를 작성하지 않는 것, 회의시간을 제한하는 것 등은 다 이런 불필요한 개인의 욕망을 원천 봉쇄하기 위함이다. 스스로 과시하지 않아도 업무를 누가 주도하고 있는지 상사는 알고 있다.

그렇다면 어떻게 보고하고 또 어떻게 보고를 받아야 하는가?

보고를 하는 방법은 시대를 불문하고 규칙이 있다. 첫 번째, 결론부터 보고해야 한다. 사랑하는 사람과 10초 뒤에 헤어져야 한다. 몇 년간 보지 못할 것이다. 무슨 말을 하겠는가? 함께 나눴던 추억 하나하나를 열거하기엔 시간이 너무 짧다. 사랑한다. 사랑해. 딱 두 마디 하면 10초는 날아간다. 보고도 마찬가지이다. 시간을 아껴서 써야 한다. 듣는 사람도 말하는 사람도 한가한 사람은 없다. 가장 불필요한 보고서는 결론이 없는 보고서다. 결론을 내지 못하는 보고서는 불필요한 낭비이다. 프로젝트를 진행하는 준비 단계 혹 중간 단계 중의 보고서라 하더라도 그 단계에 맞는 결론이 반드시 들어가 있어야 한다.

두 번째는 결론에 대한 사실을 보고하되 보고서의 성격에 맞게 본인의 의견을 제시해야 한다. 무조건 보고의 시작부터 본인의 의견을 제시하게 되면 보고를 받는 상사는 헷갈리게 된다. 실제 벌어진 일Fact과 자신의 의견Opinion을 정확하게 분리하여 제시해야 한다. 또한, 본인의 의견이나 부서의 입장을 이야기할 때는 그에 맞는 근거를 제시해야 한다. 학계에서 본인이 인용한 논문의 출처를 정확히 제시하는 게 기본 예의이듯이 어떤 근거로 의견을 내는지를 보고받는 사람에게 알려주어야 한다. 근거의 정확성과 파급효과에 따라 의견의 값어치가 달라진다.

마지막으로는 실행계획과 기한을 명확히 밝혀야 한다. 보고하는 사람의 처지에서 상사에게 보고하고 나서 피드백을 받고 추가적인 일을 하라는 지시를 받았을 때, 언제까지 이 작업을 수행해야 하는지를 되묻기가 상당히 어려운 경우가 있다. 그렇지만 그럼에도 그 자리에서 못한다면 보고 직후라도 보고 당시의 내용을 간략히 정리하고 그것을 이메일로 해당 상사에게 보내면서 언제까지 일을 완수해야 하는지에 대한 마감 시간을 반드시 확인해야 한다. 보고를 잘하고 피드백을 잘 받고도 마감시한을 확인하지 않아 추가 보고시에 난처한 상황을 만드는 경우를 만들지 말아야 한다.

보고는 쌍방향 소통이다. 상하관계를 떠나 한쪽만 일방적으로 이야기하는 것은 보고가 아니다. 따라서 보고는 하는 것도 중요하지만 받는 것도 똑같이 중요하다. 앉아서 듣다가 틀린 점만 지적하는 보고는 보고가 아니다. 그런 자세 때문에 업무는 병목현상이 생긴다. 보고하는 순간 일이 정지되어 버리는 것이다.

예전에는 기업교육의 접근방향이 주로 하급자가 상급자에게 어떻게 해야 한다는 쪽으로 많이 강조했었다. 그러나 요즘에는 일하는 속도가 빨라지고 경쟁이 치열해지고 의사결정도 실시간으로 해야 하는 경우가 많아지다 보니 그 반대로 보고받는 사람의 일하는 방법에 대한 강조가 점차 많아지고 있다. 업무의 병목현상은 경쟁에서 뒤진다는 것을 조직이 이해하기 시작했다. 이제는 보고받는 사람의 경청리더십이 많이 요구되는 시기이다.

제대로 된 보고받는 방법은 크게 3가지로 나눌 수 있다. 첫째, 보고받은 내용 중 중요단어나 문장을 반복하여 중요 내용을 확인해 주는 것 둘째, 보고받은 내용에 대하여 동의, 개선 그리고 다시 작성Reset하도록 결정해 주는 것 세 번째로는 보고받는 자세를 정확하게 표현하는 것이다.

우선, 보고받는 사람은 자신이 들은 이야기가 보고자의 이야기와 일치하는지를 반드시 알려주어야 한다. 보고자가 사용한 용어를 사용하면서 중요 내용을 확인하는 것이 필요하다. 과거에는 보고하는 하급자가 상급자가 지시한 내용에 대하여 이와 같은 방법으로 확인하라는 교육을 많이 했지만, 요즘은 상급자의 보고받는 자세에 대한 개선을 많이 요구한다. 이는 당연하다.

왜냐하면, 보고의 의사결정권은 주로 보고받는 사람에게 있기 때문이다. 그렇기에 제대로 된 의사결정을 하려면 보고 받는 사람이 그냥 결제만 해주는 것이 아니라 능동적으로 보고내용을 경청하고 정확하게 이해해야 한다. 그런 후 보고 내용에 대하여 동감을 한다면 동감의 이유와 실행에 대한 기한을 정해주면 된다. 보고 내용이 개선이 필요한 사항이 있으면 마찬가지로 개선의 이유를 설명하고 보고자의 의견을 들어주며 합의점을 찾고 마감시한을 정하면 된다.

만약, 보고 내용 자체가 전면 수정이 불가피하다 싶다면 과감하게 다시 하라고 지시해야 한다. 그것이 경청리더십이다. 그리고 그 리더십은 철저히 보고 내용에 기반을 둬야 한다. 그래서 잘 들어야 한다. 보고 내용에 대해 다시 작성Reset을 지시할 때에는 보고를 한 사람에게 명확한 지침을 알려주어야 한다. 그리고 보고자가 아주 정확히 이해

했는지를 반드시 확인해야 한다.

그리고 부족한 보고지만 그 노력을 격려해주어야 한다. 그래야 보고한 사람이 자신이 했던 일이 낭비가 아니라는 생각을 하게 된다. 필요하다면 보고를 다시 하기 위하여 다른 관련자들과 함께 회의할 수도 있고 다른 지원사항이 있을 수도 있다. 이를 서로 반드시 확인하고 재보고를 위한 기한을 정해야 한다.

어떤 때에는 사업의 성격이나 기한 탓에, 보고를 준비하는 시간이 턱없이 짧기도 하다. 그럼에도 불구하고 잘못된 방향의 보고서를 그대로 유지해서는 안 된다. 최선이 아니라면 차선의 방법이라도 고심하여 준비하는 것이 옳은 방법이다.

마지막으로 보고받는 사람의 자세가 아주 중요하다. 외국은 관리자직급 특히 임원들을 코칭하는 경우 실제 코칭에 앞서 그 사람이 실제 일하는 자세를 객관적으로 관찰하는 쉐도잉shadowing을 하기도 한다. 그 사람이 무의식중에 어떤 식으로 업무를 하고 타인과 대화하는지 실제 활동하는 것을 관찰한다.

이 과정을 통하여 보고 받을 때도 자신의 노트북이나 PC 모니터를 바라보면서 보고 받는 사람, 보고자의 의견은

듣지 않고 바로 자신의 이야기만 하는 사람, 보고를 한 사람에게 칭찬은커녕 혼내기만 하는 사람 등 갖가지 특성을 찾아내기도 한다. 이를 수정하는 것이 관리자나 임원의 일하는 방법을 크게 향상시킨다.

보고 받는 사람은 반드시 하던 일을 멈추고 보고하는 사람을 똑바로 바라보면서 중요한 내용은 메모하는 모습을 보여줄 필요가 있다. 상사가 자신의 이야기를 귀담아듣고 있다고 느낄 때 부하직원은 긴장하게 되고 집중하며 책임감을 느끼게 된다.

이직코칭

1. 본인에게 있어서 회사생활 중 보고하거나 받는 것은 어떤 의미가 있습니까?
2. 보고를 하거나 받는 자신만의 방법을 적어봅니다.
3. 읽은 내용을 바탕으로 새로운 보고 기준을 작성해봅니다.

9.

전문가가 되는 최고의 방법은 직장 안에 있을 때다

노후대책을 마련하다 보니 자연스럽게 부동산에 관심을 둔다. 대한민국 직장인 누구나 그럴 것이다. 직장을 다니다가 전업주부가 된 분들도 더욱 그럴 것이다. 아이들 학군 문제 때문에, 경제적인 투자 때문에 부동산은 우리에게 떼려야 뗄 수가 없는 매우 중요한 생활 속의 관심거리다. 예전에는 종이로 된 신문을 자주 봐왔지만 근래에는 모바일에서 포털사이트를 중심으로 기사를 본다. 매우 잘 쓴 기사도 있고 흥미로운 글도 많다.

그런 글을 게재하는 사람들이 궁금해서 서점에 가서 직접 책을 사려고 저자의 경력을 읽다 보면 흥미로운 점을 발견하곤 한다. 그들의 직장경력 때문이다. 이력을 살펴보면 기자 시절 경제부, 사회부 등을 거치다가 부동산 관련 일을 맡게 되었고 그래서 부동산에 눈을 뜨게 되어 책까지 냈다는 기자출신 저자가 종종 있다. 또 자수성가형 저자를 보면 직장생활을 하다가 혹은 전업주부를 하다가 이런저런 이유로 부동산에 관심을 두고 집중하게 되었단다.

그러니까, 처음부터 부동산을 평생의 업으로 할 거라고 작정하고 뛰어든 사람은 별로 없다는 것이다. 기자 같은 경우는 직장생활을 하면서 본인이 갈고닦은 실력을 바탕으로 직장을 확장했다는 점에서 지금 직장에 다니는 사람이라면 눈여겨봐야 한다. 회사에 입사하게 되고 그 일을 하다 보면 다양한 일들을 경험하게 된다.

필자가 첫 직장으로 택했던 제과회사의 자금팀 업무가 그러했다. 필자가 담당했던 주 업무는 회사와 관계되어 있는 모든 외부업체에 대한 비용을 매달 지급하는 일이었다. 음식물쓰레기를 거둬 가는 할아버지부터 한 달에 몇십억씩 거래하는 회사까지 그 모든 회사에 수표와 어음을 정확한 기일에 맞춰 지불하는 것이 주 업무였다. 좋든 싫든 해당하는 모든 업체를 다 알게 되었다.

그때만 해도 전자시스템이 도입되기 전이라 모든 수표

와 어음이 실물 즉, 흔히 말하는 종이형태로 지급되었다. 수표는 은행에 입금하면 되지만, 어음 같은 경우에는 업체 대부분이 직접 와서 받아갔다. 왜냐하면, 업체도 어음을 다른 업체에 대금으로 지급해야 하기 때문에 직접 와서 받아서 처리하는 것이 가장 안전하고 빨랐기 때문이다.

여하튼 어음을 지급하다 보면 그 업체가 어떤 일을 하는지는 기본적으로 알아야 했고 또 매달 한 번씩 눈인사를 하다 보니 나중에는 인사를 하게 되고 안부를 묻게 되었다. 혹시 모를 뇌물 수수 등의 문제가 있기 때문에 회사 밖에서의 접대 같은 것은 일절 금하고 있었지만, 얼굴을 마주 보면서 회사 매점에서 자판기 커피 한 잔 정도는 할 수 있었다. 그러다 보니 자연스럽게 업계 전반에 대한 소식을 접할 수 있었다. 경쟁사에는 어떤 일이 있었고 식품업계 어느 업체가 도산했다느니 등 다양한 정보를 알게 되었다. 그리고 이야기를 듣다가 궁금한 점이 생기게 마련이었고 업체 사람과 헤어진 후 선배에게 물어보거나 자료를 찾아보기도 했다. 그냥 업무를 위해서 하다 보니 자연스럽게 그 쪽의 전문가가 되어간 것이다.

대기업에 있건 중소기업에 있건 갑과 을의 형태가 다를 뿐이지 일이란 게 복잡하게 얽히고설켜 있다. 그 안에서 문제를 맞이하고 그것을 해결하려고 하다 보면 결국에는 그 분야에 대한 혜안이 생기고 나중에는 예측할 능력도 생기는 것이 직장생활 아닐까?

학위가 필요한 경우가 아닌 한 무엇인가를 배우려면 독학을 하거나 학원에 간다. 그런데 거기에는 비용이 든다. 내가 돈을 내야 한다. 그런데 회사에서의 일은 돈이 안 든다. 심지어 월급이 나온다. 어떤 때는 회사 돈으로 더 전문가가 되라고 관련된 교육까지 보내준다.

왜 그럴까? 회사 차원에서는 그래야 사업에 도움이 되기 때문이다. 경력이 쌓일수록 전문가가 되어야 한다. 그래야 남들보다 앞설 수 있고 더 나은 결과를 낼 수 있기 때문이다.

개인 입장에서도 전문가가 되어야 경력이 인정된다. 그래야 이직도 가능해지고 더 수월해진다. 이 모든 것이 지금 오늘의 회사생활에 달려있다. 무더위에 지쳐서, 추운 날씨에 쩔쩔매면서도 출근하여 책상에 앉는 순간부터 당신이 무엇을 하느냐에 달려있다. 그리고 회사에 오기 전의 마음가짐에서부터 달라진다.

지금하는 직장생활이 본인의 미래를 책임질 수 있다고 가정해 보자. 그렇다면 본인은 무엇을 준비해야 하는가?

다가올 미래에게 '나는 이런 사람입니다. 이런 기회를 더 얻게 해 주세요'라고 해야 하지 않을까? 목이 마를 때 누군가는 물을 찾는다. 그러나 누군가는 맥주를 찾는다. 말해야 알 수 있다. 미래의 신에게 당신 자신에 대하여 무엇을 말할 수 있는가?

자신의 타고난 성향이 무엇인지, 자신이 자라오면서 가장 행복했던 경험이 무엇인지, 일하면서 어떤 때 가장 충만함을 느끼는지 그리고 자신이 어떤 사람으로 죽은 후에 기억되고 싶은지를 알아야 한다.

자신을 알지 못하면 시대의 흐름만 타게 될 수가 있다. 흐름을 타는 것 자체는 중요한 것이지만 흐름을 타고 어디로 갈 것인지를 결정해야 한다. 세상 사람들이 부러워하는 위대한 서퍼가 있다. 파도를 타는 것은 그가 타고난 재능이다. 그 서퍼가 멋진 파도를 탔다. 그리고는 가만히 서 있다면 어떻게 되겠는가? 바로 가라앉을 것이다. 파도를 탄 후 발가락의 온 신경을 집중하고 체중을 이용해서 방향을 잡아 보드를 움직여야 한다. 그래야 앞으로 나아갈 수 있다.

1. 본인이 하는 업무의 전문가는 어떤 지식, 기술, 태도가 있어야 하는지 적어봅니다.
2. 현재 하는 직장 일은 본인의 비전을 얼마나 실현하게 하는 일인가요?
3. 현재 하는 업무(혹 관심 있는 업무)에서 전문가로 성장하려면 무엇을 해야 하나요?

10.

회사와 외부업체 사이에서 중재자로서 일하는 방법

이직하는 경력직이 가장 많이 간과하고 신경 쓰지 않는 부분이 있다. 바로 외부업체 즉, 외부의 이해관계자와의 관계를 유지하는 부분이다.

경력직의 입장에서 회사를 옮기게 되면 기존에 본인이 함께 일했던 외부업체와의 업무도 그대로 가져가는 경우가 많다. 실례로 책자를 제본하는 작은 업체를 알게 되어 10년이 넘게 거래하였는데 회사를 옮기게 되었다. 아주 먼 거리의 지방으로 옮긴 경우가 아니라면 새로 옮겨간 회사에서도 예전의 그 업체와 일을 하는 게 훨씬 편하다.

또한, 강사를 섭외하는 때도 새로 옮겨간 회사에서도

본인이 가장 믿고 오래 거래한 강사에게는 계속 일거리를 주게 된다. 이렇듯 본인이 속한 생태계는 아주 다른 일을 하지 않는 한 계속하여 본인과 함께 움직인다고 봐야 한다. 그렇기에 더럽고 치사해도 퇴사할 때까지 꾹 참고 견디는 것은 바로 우리의 평판이 생태계 내에서 살아서 돌아다니기 때문이다.

경력직이 회사를 옮겼을 때 가장 힘을 가질 수 있는 부분이 바로 어느 외부업체와 일하느냐, 얼마만 한 외부 네트워크를 가지고 있느냐이다. 인사컨설팅을 포함한 모든 컨설팅도 결국엔 영업을 얼마나 잘하는가? 즉, 얼마나 많은 고객을 보유하고 있는가로 판가름난다.

어떤 이직은 외부업체와의 신뢰를 바탕으로 그 업체로 옮겨가는 때도 있고 외부업체의 사람으로부터 소개를 받아서 다른 회사로 이직을 하는 경우도 많다.

결국 사람의 문제다. 따라서 당장 일이 급하고 단가가 싸다고 해서 시장에서 평판이 좋지 않은 업체를 쓴다든지, 본인의 입맛에 맞게 잘 대해준다고 해서 특정인과 부정한 거래를 한다든지 하는 일은 본인의 경력에 치명타가 될 수 있다.

경력직을 떠나 직장인으로서 외부업체와 일하는 가장

쉬우면서도 어려운 필자만의 방법을 공유한다.

결론적으로 말하자면, 회사와 외부업체와의 사이에서 커뮤니케이션할 때 어느 쪽을 대변하는 처지에 서는가를 잘 생각하면 된다. 어떤 사안에 대하여 외부업체와 논의할 때는 본인이 속한 회사의 입장을 최대한 외부업체 쪽에 반영되도록 호소하면 된다. 누구나 그렇게 일할 것이다.

그런데 회사 내부에서 외부업체와의 안건에 대하여 보고하거나 논의할 때는 최대한 외부업체의 입장이 되어서 회사를 설득해야 한다. 이러는 사람은 얼마나 될까? 월급을 받는 회사가 아닌 외부업체의 직원처럼 외부업체의 이익을 위해서 이야기하라고? 맞다. 서로 간에 같을 수는 없지만 남는 게 있어야 거래가 성사된다. 주는 게 있으면 받는 게 있어야 한다. 그 중간에서의 역할이 본인이 해야 할 역할이다.

결국, 그 사람이 얼마나 전력을 기울였는지 그리고 사심 없이 임했는지는 말하지 않아도 다 알게 되어 있다. 사람의 태도나 눈빛이 때론 글자나 말보다 진실을 더 잘 표현한다. 또한, 나중에는 자료와 증빙이 그 사람의 청렴함과 성실을 증명한다. 말은 쉽지만 회사 내부에서 외부업체의 입장이 되어 말한다는 것과 외부업체와의 거래 시에 회사의 입장에 충실하여 임한다는 것이 결코 쉬운 일이 아니다.

회사의 사정을 가장 잘 알고 있고 외부업체의 사정을 가장 많이 알고 있으면서도 그 반대의 논리와 의견을 펼쳐야 할 때가 있기 때문이다. 그러나 그러한 일관적인 태도를 유지하여 신뢰를 얻게 된다면 서로가 득이 되는 관계가 유지될 수 있다. 관계가 투명하고 잘 유지되는 것이 중요하지 오래 유지되는 것은 의미가 없다.

경력직으로서 이직할 때 가장 집중해야 하는 부분 중 하나가 함께 일하던 외부업체와의 관계를 잘 마무리하는 것이다. 내 아군을 만드는 작업이다. 거래하던 업체로 이직했다는 말은 흔히 들리는 말이다. 당신의 거래업체가 당신의 직장이 될 수 있다.

이직코칭

1. 본인이 관련 있는 외부업체가 있다면 정리해서 적어봅니다.
2. 만약 누군가 외부업체에 적당한 인재를 찾아달라고 부탁한다면 몇 개의 외부업체가 당신을 추천할까요? 그 이유는 무엇일까요?

3. 회사 내부에서 외부업체를 대변해야 한다면 어떤 방법이 가장 좋을까요?

3부

Implement 실행하라

1.

디테일이 당신의 위상을 결정한다

이직 후 첫 번째 보고를 위해서 이틀간 밤을 새웠다. 지난 2주간 수집한 자료를 토대로 온 힘을 기울였고 단어 하나하나에도 온 신경을 써서 선택하고 고민하였다. 가장 이해하기 쉽고 전달이 쉬운 디자인으로 구성했다. 이제 작업을 마쳤다. 상사에게 자료를 이메일로 보내면서 검토해 달라고 요청했다. 특별한 사유가 없는 한 임원진을 대상으로 직접 프리젠테이션을 하게 될 것이다.

상사가 나를 부른다. 표정을 보아하니 내 자료에 대한 피드백을 주려는 모양이다. “고생했습니다. 잘 정리되어 있어요. 전달하고자 하는 바도 명확하고 괜찮아요. 그런데...”

그런데? 상사가 직접 말하는 대신 3페이지를 내게 보여준다. 한 문장을 손가락으로 가리킨다. 아뿔싸, 오타다. 그리고 7페이지로 넘긴다. 다시 오타다. 게임은 끝났다. 실전에 나가보기도 전에 게임은 나의 패배로 끝나버린 것이다. 상사가 다시 입을 연다.

"이번이 처음이니까 괜찮아요. 다음엔 이러지 맙시다." 흔한 말로 개망신이다. 신입사원도 아니고 팀장으로 처음 입사 후 하는 보고에서 그것도 임원진을 모아 놓고 해야 하는 회의를 앞두고 오타가 있는 자료를 만든 사람이 되어버렸다. 오타는 실력이다. 오타가 발생하는 가장 흔한 경우는 과잉의 오류다. 자료를 만든 사람이 해당 자료를 만들면서 수십 번을 보았기에 마치 본인이 생각하는 바대로 글씨가 쓰여 있다고 착각하기 때문이다. 아무리 눈을 씻고 바라보아도 오타는 또 나온다. 그래서 자료가 만들어지면 타인에게 자료를 검토해 달라고 하는 것도 필요하다.

컨설팅업계에서는 특히 이러한 세밀함과 꼼꼼함에 목숨을 건다. 거의 병적이라고 할 만하다. 자간이 몇인지, 글자크기는 왜 16이 아니라 14로 했는지, 줄 간격은 어떠한지에 대해서 광적으로 매달린다. 왜 그럴까? 컨설팅은 보고서로 모든 것을 증명한다. 보고서 안에 컨설팅의 모든 것이

들어가기 때문이다. 수백 장에 달하는 보고서에 오타가 하나라도 있으면 가치가 훅 떨어진다. 납품하는 돈의 단위가 달라질 수도 있고 거래가 끊길 수도 있다. 엄연한 사실이다.

디테일은 힘이다. 누구나 그런 경험을 해보았기 때문에 디테일의 힘을 인정하는 것이다. 그만큼 디테일은 유지하기 어렵다. 흔히들 본인은 성격이 급해서, 일하는 방법이 달라서 세심하지 못하고 꼼꼼하지 못하다고 말한다. 일 이외의 경우에는 괜찮다. 어지간한 실수가 아니라면 넘어갈 수 있다.

그러나 업무 시에는 다르다. 특히, 상사에게 보고하는 자료나 외부에 나가는 자료는 꼼꼼함은 기본이다. 출판사에는 오타만 전문적으로 찾는 게 업무인 사람이 있다. 돈을 내고 구매한 책 속에서 오타를 발견한다는 것은 유쾌한 일이 아니다.

처음 사회생활을 시작했던 동료와 함께 입사 20주년 여행을 가기로 했다. 첫 직장이 외국이었기에 그 나라를 가기로 했다. 출발 일 년 전부터 자금을 모았고 각자 여행을 위한 역할을 자연스럽게 분담했다. 다 늙어가는 처지에 한 동료가 나이가 가장 어리다는 이유로 비행기 및 숙소에 대한 예약을 맡았다. 정확히는 여행사와의 소통을 담당하라고 부탁을 한 것이다.

여행 당일이 되어 출국하고 해당 국가의 공항에 내리자마자 그 동료의 디테일이 빛을 발휘하기 시작하였다. 자동차를 렌트했는데 공항에서 숙소까지 이동 경로에 대해서 미리 확보한 파일을 가지고 있었다. 네비게이션이 없는 경우를 대비하여 구글에서 다운로드를 받아 놓은 것이다.

숙소에 도착하니 가격 대비 상당히 괜찮은 시설이었다. 어떻게 예약했느냐고 물으니 해당 숙소에 대한 관련 사이트 및 리뷰까지 하나하나 꼼꼼히 살펴보았다고 했다. 여행의 전 과정을 여행사가 아닌 본인이 직접 준비한 것이었다. 그 동료 덕분에 여행 내내 어디를 가건 편안했고 믿음직스러웠고 만족스러웠다. 공연장에서는 가격 대비 가장 좋은 자리로 미리 예약되어 있었고 밤에는 어디로 가서 밥을 먹어야 하는지 고민하지 않아도 되었다. 너무나 기분이 좋았고 감사했다.

더욱 놀라웠던 것은 귀국하고 비용을 정산할 때였다. 각자 미리 회비를 냈었고 그 돈으로는 부족할 거로 생각하고 있었는데 그 동료의 세심한 계획 덕분에 추가 비용 없이 계획된 비용에서 마무리될 수 있었다. 그동안 경험했던 어떤 여행사보다도 나았다. 여행의 품격을 올려준 동료에게 아주 고마울 따름이다.

동료의 꼼꼼함을 보면서 그가 회사에서 어떻게 일하는지를 알 수 있었다. 직접 가서 보지 않아도, 20년 전 그와 함께 일했던 기억을 더듬어보지 않아도 현재 그가 회사에서 어느 정도 인정받고 있는지 충분히 이해할 수 있었다.

사람들은 왜 디테일에 그토록 매달리는 것일까? 디테일에는 작성하는 사람의 마음이 들어가 있기 때문이다. 디테일을 잘하려면 의도적으로 내 마음이 거기에 가 있어야 한다. 집중해야 한다. 필요하다면 몰입해야 한다. 그래야 내 것이 되는 것이다. 너무 몰입했기에 오타가 나온다는 말을 이해하는 사람이라면 진정 그 일에 한 번쯤은 온통 정신을 쏟아본 사람일 것이다.

그래서 디테일은 훈련이 가능하다. 그리고 훈련이 지속되어 습관이 되면 빛을 발하기 시작한다. 경험 많은 상사가 부하직원의 보고서를 보면서 이상하리만치 보고서를 쓴 사람이 애매했거나 힘들어했던 부분을 집어낼 수 있는 이유는 바로 상사 또한 그런 과정을 겪었고 그 대목에서 힘들어했기 때문이다.

자기소개서도 마찬가지이다. 숙련된 면접관이라면 대

충 훑어만 보아도 지원자가 열심히 썼는지 복사해서 붙였는지 알 수 있다. 물론, 자기소개서만 가지고 회사에 합격하거나 떨어지지는 않는다. 그러나 매우 중요한 보고 혹은 직접 발표하려고 작성한 프리젠테이션 자료 그리고 글로 써서 공개되어야 하는 자료에 대해서는 단 한 번만으로도 좋은 기회를 잡을 수도 있고 잃을 수도 있다. 디테일에 우리가 목숨을 걸어야 하는 이유이다.

이직코칭

1. 직장생활을 하면서 가장 디테일에 신경 썼던 프로젝트나 업무는 무엇인가요?
2. 그 일을 마친 당시 본인의 느낌이나 주변의 피드백은 어떠했는지 회상해 봅니다.
3. 다시 기회가 온다면 어떤 부분을 더 보완하겠습니까?

2.

성실에는 항상 성과가 동반한다

2년 전 대학생을 위한 취업캠프에서 경험했던 일이다. 취업을 희망하는 학생이 자기가 희망하는 직무를 조사하고 그에 맞는 적당한 미래계획을 수립하는 시간을 가졌다. 한 학생이 본인이 가지고 있는 전공과 상관없는 분야인 직장인을 위한 교육프로그램을 개발하고 싶다고 했다.

필자가 일하는 분야와 관련이 있어 좀 더 관심이 갔다. 어떤 연유로 교육프로그램 개발에 관심을 두게 되었는지를 묻고 본인의 요구를 좀 더 알아보았다. 학생은 기업교육업계에 종사하면서 교육프로그램을 기업체에 홍보 및 보급하여 직원의 역량을 강화하는 일을 하고 싶다고 하였다.

학생과 이야기하면서 그가 생각하고 있는 기업교육업계 업무의 현실과 이상이 너무 다르다는 것을 알았다. 즉, 본인이 상상하는 업무와 실제로 해야 하는 업무의 차이가 너무 컸다. 본인은 열심히 고민한 해결책을 가지고 기업에 가서 멋지게 프리젠테이션을 하고 교육담당자를 설득하여 교육프로그램을 보급하는 모습만을 상상하고 있었다.

하지만 필자의 경험으로 보자면 당장 학생이 웬만한 규모의 기업교육회사에 신입으로 입사하게 되면 무거운 책상을 나르고 교육장을 세팅하고 교재와 각종 교구를 교육 인원수만큼 일일이 분류하고 준비하는 일부터 시작하게 된다. 교육이 시작되기 전에 강사를 의전해야 하고 노트북은 잘 켜지고 동영상은 잘 작동되는지를 항상 확인해야 한다. 맛있고 신선한 간식도 제대로 챙겨놓아야 한다.

또 교육이 시작되면 교육생들이 교육에 잘 적응하는지를 모니터링 해야 한다. 그리고 교육의 쉬는 시간마다 교육생들이 먹을 수 있는 간식을 다시 챙겨놓고 그 외에 점심과 저녁 메뉴를 챙겨야 한다. 교육을 마치면 과정 마무리를 한 후 다시 다음날 일정을 검토하고 준비해야 한다. 이러한 작업을 최소 1년 이상 해야지만 기업교육과정의 운영을 알게 되고 업계가 굴러가는 생리를 파악하게 된다.

한참을 이야기를 듣고 난 후 필자가 그 학생에게 해주고 싶었던 말은 실력 이전에 성실이 우선이라는 평범한 사실이었다. 당신이 가고자 하는 길이 이 길이란 생각이 들어서 들어왔다면 당신의 생각과는 다른 상황이 들이닥치더라도 그 일을 해보는 것. 그리고 꾸준히 하는 것. 그 일조차도 최고의 일이 되도록 노력할 마음이 있는가에 대해서 물었다. 최소 1년은 해 볼 수 있는지 스스로 물어보라고 말했다.

필자 또한 재무 쪽 일을 그만두고 기업교육계에서 처음 일을 시작했을 때 새벽 2시에 대리석으로 된 무거운 책상을 옮기며 그날 오전으로 예정된 교육과정을 세팅하리라고는 생각해본 적이 없었다. 갑자기 멈춰 버린 강사의 노트북을 들고 근처 수리센터로 달려가리라고는 꿈에서도 생각해본 적이 없었다.

모 대학의 총장과 교수진 전원을 대상으로 강원도 설악산의 모 호텔에서 교육과정을 진행할 때의 일이다. 보통 교육과정이 진행되는 전날 현지에 도착해서 미리 준비를 다 해놓는데 당시 업무가 너무 많아서 밤에 고속버스를 타고 내려가게 되었다. 터미널에서 가까운 여관에서 잠을 잔 후 새벽에 택시를 타고 호텔로 가면 준비하는 데는 어렵지 않을 거라 판단했다. 교육생이 도착해서 교육과정을 시작하는 시간이 점심때쯤이었기 때문이다.

잘 도착해서 자고 교육 당일 아침에 일어나서 창 밖을 보니 밤새 내린 눈으로 세상이 하얗게 변해있었다. 뉴스를 보고 나서 망연자실했다. 몇십 년 만의 폭설이 내린 것이다. 아침도 먹지 않고 서둘러 밖으로 나왔다. 도로는 온통 아수라장이었다. 몇 곱절의 돈을 주고 택시에 부탁해서 호텔에서 최대한 가까운 곳까지 갔다. 그때부터 걷기 시작했다. 차로는 20분 정도 되는 거리를 족히 두 시간은 넘게 걸었다. 두 발이 눈에 푹푹 빠지고 입었던 양복은 땀과 눈으로 뒤범벅되었다.

걷다가 주변을 보니 교육과정이 열리는 호텔직원들도 출근한다고 걷고 있었다. 교육준비가 제대로 될 수 있을지 걱정이 태산이었다. 가까스로 호텔에 도착하여 서울 회사에 확인하니 교육생도 비행기를 취소하고 전세버스로 이동하고 있다고 했다. 교육과정이 취소되지 않은 것이다. 교육생이 도착할 시간까지 준비를 마치기에는 턱없이 부족했다. 말 그대로 숨도 쉬지 않고 준비를 했다. 겨우 준비를 마치고 교육생을 맞이하고 교육과정을 시작할 수 있었다. 물론 흔치 않은 경험이지만 감당할 수 있겠는가?

흔히들 텔레비전에서 하는 드라마를 보면 재벌 3세 정도 되는 주인공이 멋진 양복에 화려한 스타일을 하고 최고급 자가용을 타고 회사에 출근한다. 깨끗하고 깔끔한 대리석이 깔린 방에 들어가면 잘 정돈된 책상과 의자가 있다. 들고 온 명품가방을 대충 내던져두고 몇 가지 보고를 받고는 사랑하는 여자나 남자를 찾아서 어디론가 나간다. 물론 드라마니까 상황설정을 그렇게 했겠지만 어이가 없을 뿐이다. 그런 회사는 이 세상에 없다. 그래서 드라마에서 그렇게 만든 것이다.

실제로 필자가 재벌 3세와 함께 지척에서 일해 본 경험으로도 회사에서 그렇게 일하는 재벌 3세는 전혀 없다. 요즘 문제가 되는 재벌 갑질의 주인공은 회사에 나오면 안 되는 사람이다. 그냥 본인의 부모 덕에 얻은 부를 맘껏 골프장이나 여행가서 쓰면서 사는 것이 개인으로나 회사를 위해서도 좋을 것이다. 착각하면 안 된다.

경력직으로 입사하면 느끼게 되는 일종의 텃세도 있다. 막내 생활을 하지 않은 사람이 나보다 위의 자리로 왔다는 은연 중의 불만이 포함되어 있다. 막내로 시작해서 심부름부터 오만가지 일을 다하면서 지금의 자리에 올라온 대리직급의 팀원이 어느 날 일을 좀 잘한다고 외부에서 스카우트해온 상사에게 가지는 반감은 충분히 있을 수 있다. 그렇기에 새로 들어온 팀장은 부하직원의 그런 면을 인정하고 충분히 공감해 주어야 한다. 부하에게 성실하게 다가가야 한다.

성실성이 중요한 이유는 성실은 시간의 위대함을 보여주기 때문이다. 하루 이틀 성실한 사람에게 성실하다고 말하는 경우는 없다. 어떤 일을 상당히 긴 시간 동안 꾸준히 해내었을 때 그런 사람을 성실하다고 인정하는 것이다.

대부분의 성실성은 사소한 것들로부터 시작된다. 회사의 서류를 복사하는 것, 복사한 서류를 보관하는 것, 작성된 파일을 저장하는 것 , 회의록을 기록하는 것 그리고 출퇴근 시 늦지 않는 것 등 사소한 일이라도 꾸준히 해낼 때 저 사람은 성실하다고 한다.

불교에서 참선에만 집중하기 위하여 스스로 어느 공간에 들어가서 하루 한 끼 밥만 외부로부터 받으며 수행을 하는 공간을 무문관이라고 한다. 몇 년 동안 방 밖으로 한 발자국도 나오지 않고 수행을 하는 것이다. 생각해보라. 방 안에서 수행은 하지 않고 맨날 자고 논다고 생각한다면 그게 가능할까? 일주일도 못 버틸 것이다. 작은 방 한 칸 안에서 누가 시키지 않아도 스스로 매 순간 방석 위에 앉는 것. 그것이 성실이다. 성실이 있은 다음에 자신의 생명을 담보로 도를 깨치고자 밀어붙이는 정신이 생긴다.

성실은 거창한 것이 아니다. 지금의 나에게 주어진 상황에서 온 정성을 쏟는 것이다. 이것이 쌓이고 쌓여 무언가 결과를 만들어내는 것이다. 그러면 성과는 항상 성실 곁에 서 있을 것이다.

이직코칭

1. 본인에게 있어서 회사생활에서의 성실은 무엇을 의미하는지 정의해서 적어봅니다.
2. 당신은 그 정의에 맞게 성실합니까?
3. 당신의 성실함으로 인해 성과를 냈던 최고의 경험은 무엇인가요?

3.

위기에 봉착했을 때 누구에게 달려가야 하는가?

직장생활을 하다 보면 위기가 찾아온다. 누구나 크건 작건 어떤 형태로든 위기를 맞이한다. 이 위기를 어떻게 대처하느냐에 따라 직장생활이 쉬워질 수도 있고 어려워질 수도 있다. 직장에서의 위기란 본인이 의도치 않은 방향으로 일이 진행된다든가 예상치 못했던 일이 발생하여 현재의 위치나 상황보다 더 안좋은 쪽으로 흘러가는 것이다.

대표이사 앞에서 발표한 회심의 보고서가 부정적인 피드백으로 가득 채워졌다. 회의실을 나오는 순간, 마주하게 되는 허탈감은 경험해보지 않은 사람은 상상하기 어렵다. 세상이 다 나를 멀리하는 것 같고, 나의 경쟁자들이 저

쪽에서 비웃고 있다. 무엇보다 이 좌절을 어떻게 극복할 것인가?

이럴 때 누구를 찾아가겠는가? 누구에게 찾아가야 내가 원하는 답을 찾을 수 있겠는가? 대부분은 같이 보고서를 작성한 동료와 조용히 식사를 한다든가 퇴근 후 오랜 친구를 만나서 소주 한잔하며 털어내곤 한다. 이런 시간도 필요하다. 감정의 치유가 필요하기 때문이다. 그러나 결국 보고서가 잘못된 근본원인을 알아내는 것도 그것을 제대로 된 방향으로 잡아가는 것도 본인의 몫이다. 이 세상 누구도 대체해 줄 수 없다.

필자가 이직 후 처음 맡은 신사업에 대한 보고서를 작성할 때의 일이다. 신사업에 대한 전략에 대하여 대표이사에게 첫 번째 보고를 했다. 보고서는 필자보다 해당 회사에서 오래 근무했고 그 사업에 대한 보고를 한 적이 있는 팀원과 함께 작성했다. 그 직원의 의견을 최대한 수용하여 첫 보고에 들어갔다. 결과는 쉽게 표현하자면 대표이사가 생각하고 있는 게 백이라면 필자가 보고한 것은 십이랄까 한 마디로 다시 작성하라는 피드백을 받았다. 무참히 깨진 것이다. 사업에 대한 큰 그림을 보지 못하고 있고 공부도 하지 않았다고 직설적인 지적을 받았다.

보고를 마치고 그 팀원과 둘이서 대책회의를 했다. 무엇이 잘못인지 어디서부터 다시 손을 봐야 할까를 정리하고 두 번째 보고를 준비하기로 했다. 며칠 뒤 두 번째 보고가 3일 남았을 때 팀원이 준비를 잘하고 있는지 확인했다. 팀원이 보고하기를 아직 준비된 게 없다고 했다. 하루가 그렇게 흘러갔다.

두 번째 보고를 하기 전날 아침에 다시 둘이서 만났다. 왜 보고를 안 하는지 어떻게 진행되고 있는지 물었다. 그 팀원이 갑자기 본인은 보고서 작성을 어떻게 해야 할지 모르겠다고 했다. 그걸 왜 인제 와서야 이야기하느냐고 물었다. 답이 없었다. 올라오는 화를 참고 그래도 내일이 보고이니 그동안 정리한 것만이라도 파워포인트로 만들라고 지시했다. 그리고는 근무시간 중에는 이리저리 다른 일 때문에 작업을 못하니 회사 밖으로 나가서 편한 곳에서 작업하고 다음 날 아침에 보자고 했다.

두 번째 보고가 있는 날 아침이 밝았다. 밤새 아무런 이메일이 없었다. 아침에 출근한 그 직원이 그래도 무언가 준비했겠지라는 기대를 하고 완성된 자료를 보자고 했다. 아무것도 없었다. 말 그대로 아무것도 진전된 게 없었다. 아찔했다. 어제 점심 먹고 사무실을 나간 후 무엇을 했는지 물어보는 것 자체가 무의미했다. 보고는 오후였다.

두 번째 보고에서 대표이사의 실망한 눈빛을 지금도 잊지 못한다. 보고는 그 팀원을 배제하고 혼자 들어갔다. 어차피 욕을 먹어야 하면 혼자 먹는 게 낫고 그는 이미 스스로 이 일을 마음속으로 포기해버렸는데 같이 들어가는 게 무슨 의미가 있겠는가 싶었다.

두 번째 보고를 마친 후 의기소침하여 퇴근했다. 혼자 길을 걸었다. 어디서부터 어디까지 걸었는지도 모르겠다. 결국, 필자의 잘못이었다. 팀원이 대표이사와 더 오래 근무했기 때문에 대표이사의 의중을 더 잘 알 것이라는 판단부터가 잘못이었다. 필자와 그 팀원 간에 이루어진 대화가 문서로 만들어 질 수 있다고 과신하고 확인하지 않은 것도 잘못이었다. 또한, 팀원이 그런 역량이 있는지를 생각하지 않고 전임자였다는 사실 하나만 믿고 맡긴 것도 잘못이었다. 그가 잘했다면 회사가 신규입사자를 뽑았을까?

고민 끝에 필자가 달려가서 만난 사람은 대표이사였다. 커피를 사달라고 요청을 했다. 무엇이 잘못인지 어떻게 해야 하는지 알려 달라고 요청했다. 문제를 낸 선생님에게 해답을 알려 달라고 한 꼴이었다. 대표이사에게 낙인이 찍힐 수도 있는 위험한 요청이었다. 그러나 답은 그 일에 대하여 가장 많이 고민하고 가장 많은 에너지를 쏟는 사람에게 있다. 당연히 사업의 책임자인 필자와 총 책임이 있는 대표이사가 아니겠는가?

대표이사가 직접 작성한 아이디어를 문서로 만들어서 가져다주면서 속성과외를 시켜주었다. 대표이사로서도 사업은 추진해야 하고 담당자라고 뽑았는데 역량은 마음에 들지 않지만 그럼에도 한 번은 기회를 준다는 마음으로 알려준 것이다. 그것을 받고 며칠 밤을 새워서 의견을 넣고 정리해서 보고했다.

그 결론을 바탕으로 사업이 시작되었다. 사업을 추진하는 동안 끊임없이 생각했다. 왜 팀원에게 대표이사가 해준 것처럼 답안을 제시하지 못했을까? 업무의 위임이란 무엇인가? 함께 논의했던 내용을 문서로 만드는 것 자체도 무리한 지시였을까? 실로 많은 고민을 하게 한 시간이었다.

그 팀원은 그렇게 벽에 봉착했을 때 왜 필자에게 알리지 않았을까? 혼자 부여안고 끙끙대서 나온 결과가 못하겠다라면 그러기 전에 필자에게 말하는 것이 낫지 않았을까? 필자의 문제인가 직원의 문제인가, 아직도 필자는 그때의 경험을 생각하면 숨이 턱 막힌다.

직장생활을 하면서 문제나 위기에 봉착했을 때 필자

가 배운 점은 모든 해결의 시작과 끝은 본인에게 달려있다는 점이다. 이 문제를 해결하기 위하여 가장 이해관계가 깊은 사람이 누구인지 그 사람 중에서도 가장 영향력이 많은 사람은 누구인지를 파악해야 한다. 그래서 그 사람을 움직일 수 있을 만한 해답을 찾아야 한다. 그것으로도 부족하다면 그 사람을 직접 찾아가서 만나야 한다. 비록 위험성이 높더라도 해결하고자 하는 의지가 있다면 그렇게라도 해야 한다.

위기나 문제는 해결되기를 기다리는 이슈이다. 그것을 피하려고 한다면 더욱 큰 부메랑이 되어서 돌아올 것이다. 피하지 말고 생각하자. 어떤 방법이 최선인가를 그리고 누가 이 해결책에 도움을 줄 수 있는지를 파악하자. 그리고 직접 만나자.

이직코칭

1. 현재 재직 중인 회사에서 경험한 최악의 위기는 무엇입니까?
2. 당시의 핵심이해 당사자는 누구였나요?
3. 문제를 어떻게 해결했는지 제3자 처지에서 적어보고 잘한 점과 개선할 점을 판단해봅니다.

4.

육아를 통해 배운 3가지 일하는 방법

딸 아이가 15개월이 되었을 때부터 약 1년간, 정확히는 10개월간 사회활동을 접고 직접 집에서 아이를 돌본 적이 있다. 맞벌이하던 우리 부부는 아내가 육아휴직을 했고 약 1년이 조금 넘는 기간 동안 아이를 돌보았다. 시간이 흘러 아이를 어린이집에 맡겨 놓고 복직을 해야 하는 상황이 되었다.

아이를 집에서 가장 가까운 어린이집에 맡기기로 하고 아내가 집에 있는 마지막 달부터 적응을 시키기 시작했다. 아내가 아이와 함께 어린이집 안에서 1시간가량 머무르며 놀고 오고 다음날은 2시간 놀고 오는 식이었다. 애초 우리의 목표는 일주일가량 그런 식으로 하면 아이가 적응할 거로 생각했다.

그런데 이틀째 지나던 날 어린이집 교사의 눈치가 이상하다고 아내가 힘들어했다. 다른 아이에게도 영향을 미치기도 하거니와 본인이 일하는 모습을 모조리 공개하고 싶지 않은 어린이집 교사의 마음이 이해가 갔다. 그래서 삼 일째 되는 날부터는 어린이집 담임교사가 아내에게 아이가 울면 즉각 연락을 주기로 하고 아이만 어린이집에 홀로 두고 2시간 후에 찾아오기로 했다.

그런데 넷째 날 퇴근하고 집에 오니 아내의 표정이 아주 어두웠다. 자초지종을 물어보니, 아이를 맡긴 후 아무 연락이 없어서 기다리다가 2시간 있다가 데리러 가니 아이가 잘 있더라는 것이다. 그래서 다행이다 싶어서 집으로 데려와서 한 두 시간 후쯤 샤워를 시키려고 옷을 벗겼는데 아이의 손과 팔꿈치 사이에 이상하게 할퀸 자국이 보이길래 어린이집에 전화했다고 한다.

어린이집 담임교사가 뭔가 말을 안 하고 애매한 반응을 보이길래 사실대로 알려달라고 했더니 아이가 어린이집에 맡겨진 시간부터 엄마가 오기 직전까지 울었다는 것이다. 아이 혼자 엄마가 오는 현관 쪽을 보고 앉아서 울면서

2시간 동안 자기 몸을 혼자 긁고 몸부림을 친 것이다.

그럼 그 시간에 어린이집 담임교사는 무엇을 했느냐고 필자가 아내에게 묻자 담임이 말하기를 아이를 달랬지만 소용없었다고 했다. 더 슬펐던 점은 어린이집 원장이 한 말 때문이었다. 원래 어린이집에 아이를 맡기는 맞벌이부부는 아이가 빨리 어린이집에 적응해야 부모도 편하고 아이도 편하다는 것이다. 원장 말로는 누구나 겪는 아픔이고 어쩔 수 없는 일종의 통과의례 같은 것이니 부모도 이해하라는 반응을 보였다고 했다. CCTV를 확인하고 말고를 떠나서 우리 부부는 그날 잠을 못 잤다.

도대체 살아간다는 게 무엇인가? 무엇을 위해서 이렇게 살아가야 하는가? 아이는 무슨 잘못인가? 어떻게 해야 할지 막막했다. 아내와 며칠 간 심각하게 대화를 했다.

결론은 필자가 육아휴직을 하고 짧은 기간이나마 아이를 돌보기로 하였다. 그런 결정을 내린 데는 2가지 이유가 있었다.

첫 번째는 아빠로서 자식에게 해 줄 수 있는 평생 최대의 선물이 무엇일까? 함께 많은 시간을 보내는 것으로 생각했다. 아이가 아직 어려서 모르겠지만 그래도 함께 놀아주고 밥을 먹고 시간을 보내는 것은 매우 의미 있는 일이라 생각했다. 부족하지만 그래도 아빠인데 다른 사람보다는 훨씬 나을 것이라는 생각도 한몫하였다.

두 번째로는 필자도 언젠가는 독립을 해야 하는 시기가 올 것인데 그 시기를 조금 앞당기자는 부부간의 합의도 있었다. 육아를 통해 휴식기를 갖고 그 기간동안 지난 회사생활을 정리하면서 복직 이전에 미래에 대한 구상을 해보기로 했다.

그렇게 시작된 육아는 그동안의 어떤 경험보다도 강렬했다. 육아는 상상 이상으로 힘들었다. 우선, 단 5분도 나만의 시간이 없었다. 혼자 차분히 있는 시간은 아예 없었다. 화장실조차 혼자 못 갔다. 즉, 화장실을 잠그지 않고 일을 보아야 했다. 아이가 낮잠을 잘 때 쉬면 안 되냐고? 그 시간에는 밀린 빨래를 해야 하고 다음 식사를 준비해야 했다.

육아하면서 일상을 SNS에 올리는 엄마들이 너무 존경스러웠다. 육아를 하면서도 너무 행복하게 웃는 엄마들의 기사나 글을 떠올려 볼 때마다 스스로 진짜 아빠가 맞나 싶을 정도로 괴로웠던 적도 있다. 밥도 입맛이 떨어져서 아이가 남긴 밥을 먹거나 굶거나 하기 일상이었다. 아내가 퇴근하고 아이가 잠이 들면 그때야 자유시간이 생겼다. 그런데 회사에서 돌아온 아내는 아내대로 고충이 있고 대화가 필요했다. 필자로서는 쉬고만 싶었다. 그래서 거의 아이와 함께 잠이 들었다.

그렇게 몇 달 보내니 부부간의 대화시간도 줄었다. 제2의 인생을 준비해보자던 거창한 계획도 거의 실행에 옮기지를 못했다. 오로지 육아만을 했다. 미숙한 열정만 가득했던 준비되지 못한 육아였다. 육아를 하면서 직장생활이 떠올랐다.

생각해보니 아무리 힘든 직장생활이라 할지라도 커피 한 잔 마실 여유가 없는 날이 10일이상 지속된 적은 없었다. 무슨 말을 하고자 하는지 알아듣지 못해서 우는 아이를 앞에 두고 난감했던 것과 같은 회사 내에서의 의사소통의 오류는 많지 않았다. 아이가 아파서 이러지도 저러지도 못하면서 너무 속이 상했던 시간에 비하면 회사에서의 안 좋은 경험은 참을만했다.

그러다가 운이 좋게 새롭게 개원하는 공공 어린이집에 당첨되었다. 아이가 어린이집에서 머무는 시간이 늘어났고 집으로 와서 도와주시는 분의 도움도 받으며 다시 직장생활로 복귀했다. 지금도 가장 뿌듯했고 행복했으나 힘들었던 시절을 꼽으라 그러면 주저 없이 이 10개월의 육아

기간을 꼽는다. 아이와 함께했던 10개월간의 행복한 감정과 추억은 평생의 기억으로 남을 것이다. 물론, 힘들게 배운 그 때의 교훈도 함께.

육아를 하면서 필자가 배운 것은 지금 당장 해야지 나중은 의미가 없다는 것이다. 아이가 잠들고 나면 커피 한잔해야지, 아이가 잘 놀면 그때 빨래를 해야지는 의미가 없었다. 왜냐하면, 아이는 살아있는 생명체이고 본인의 몸 상태를 본인도 알지 못한다. 예측할 수 없다. 예측할 수 없는 상황에서는 지금 할 수 있는 것이라면 바로 지금 해야 한다.

이따가 밖에 나가서 원두커피 한잔하는 것이 훨씬 만족도가 높을 수 있지만, 지금이라도 믹스커피 한 잔을 마시는 것이 최선이라는 것이다. 육아를 하면서 많은 엄마가 굶는다. 그러나 지금 먹어야 한다. 먹고 싶지 않아도 먹어야 한다. 그래야 산다. 너무 과장일 수 있지만 사실이다.

일도 마찬가지이다. 어려우니 답이 잘 안 나오니 미룰 수 있다. 하지만 미루고 미루다 보면 결국 야근이다. 그래야 성과가 나오는 일이 분명 있을 수 있다. 그러나 대부분의 일은 지금 당장 앉아서 그 일을 시작하는 것이 미루는 것보다 훨씬 낫다.

두 번째로는 무슨 일이든 소중하다는 것이다. 아이를 키운다는 건 어떤 일이건 대충 할 수 없다는 것을 의미한다. 즉, 내가 힘들다고 아이가 먹을 음식을 대충 만들 순 없다. 아이를 씻길 때 운다고 해서 대충 비누거품도 없애지 않고 닦아줄 순 없다. 반드시 제대로 해야 한다.

일도 마찬가지이다. 대충해야 할 일이 있는 게 아니라 최대한의 시간을 아껴서 그 시간 내로 해야 하는 일이 있을 뿐이다. 본인이 가진 에너지와 역량의 70%만 쏟았다 하더라도 그게 본인이 그 당시에 해낼 수 있는 최댓값이라는 것을 인정해야 한다.

마지막으로 마음을 내려놓아야 한다. 아이는 결코 양육자가 원하는 대로 움직여주지 않는다. 모든 것을 자신이 원하는대로 하지 양육자의 감정상태, 건강상태를 생각해서 울거나 웃어주지 않는다. 이렇게 맛있게 만들었는데 왜 안 먹지? 이렇게 좋은 환경인데 왜 잠을 안 자지? 내려놓아야 한다. 마음을 비워야 한다. 아이 한 명 보는데 인생의 기쁨과 고민과 슬픔이 다 스며들어가 있음을 알게 되었다.

또한 육아를 시작한 처음 몇 달은 예전의 동료에게서 연락이 자주 왔다. 그러다가 시간이 지나니 아무도 연락이 오지 않게 되었다. 그들의 문제가 아니고 나의 문제도 아니었다. 그냥 산다는 게 그런 것이다. 자주 보지 않으면 잊히는 것이 사람이다. 세상으로부터 동떨어진다는 것이 서운했다. 내가 선택한 길이 이것인 건 맞는데, 당시에는 그렇게까지 구체적으로는 알지 못했다.

새로운 회사에 적응하기 힘들 땐 일단 잠시 내려놓고 생각해보자. 내 마음이 지금 어떠한지, 처음 입사할 때의 그 마음인지 아니면 변한 것인지 생각해보자. 아이는 자란다. 아이나 양육자나 그때의 사소한 일은 기억도 하지 못한다. 그렇지만 함께 했던 그 감정은 평생의 자양분이 될 것이다.

직장생활도 마찬가지가 아닐까 싶다. 당장은 힘들어도 나중에 보면 그 때 그 순간을 어떻게 견뎠는지가 기억에 남으리라는 것을. 그러기에 육아도 일도 지금 해야 한다. 주어진 상황 내에서 온 힘을 다해서 해야 한다. 과거와 미래는 그다음에 걱정할 일이다.

이직코칭

1. 본인의 인생에서 가장 힘들었던 시절이나 사건이 있나요?
2. 그 시절이나 사건에 대해서 생각해보고 어떤 이유

때문이었는지 적어봅니다.

3. 그 때의 본인에게 현재의 내가 어떤 조언을 줄 수 있나요?

5.

이이제이하라

이이제이(以夷制夷)란 오랑캐로 오랑캐를 무찌른다는 뜻으로, 자신의 힘으로 하기가 어려울 때 혹은 더 나은 묘책이 있을시 한 세력을 이용하여 다른 세력을 제어함을 이르는 말이다. 이 말을 직장 내 관계로 끌어들여 해석해 보자면, 본인에게 닥쳐온 어려운 상황을 직접 해결하는 것보다 직장 내 다른 사람이나 제3의 힘을 이용하여 문제를 해결한다는 것을 의미한다.

가령, 다른 팀과 일할 때 본인의 팀 업무에 해당하지 않는 일인데 다른 팀이 본인팀에 그걸 전가한 후 나 몰라라 했을 때 어떻게 해결할 수 있을까? 내가 아닌 그것을 바로 잡을 수 있는 누군가를 이용하여 상황을 바로 잡는 것이다.

필자가 팀장으로 일했을 때의 경험이다. 입사해서 업무를 파악해보니 팀이 맡은 업무 중 하나가 매월 진행되는 명사 초청 특강 행사였다. 필자의 팀 업무와는 전혀 상관이 없는 일이었다. 대표이사와의 면접 때도 들어본 적이 없는 업무였다.

하여간 팀에서 맡은 업무이니 기존에 있던 팀원에게 자초지종을 물었다. 이유인즉슨, 2년 전 이 업무를 맡았던 다른 팀에서 해당 업무를 담당하던 직원이 회사를 퇴사하고 급기야 그 팀마저 해체되었다. 그때 명사 초청 특강 업무를 어느 팀에서 임시로 가져가야 하는지에 대해 대표이사 주재로 회의를 했다고 한다.

그런데 회의 자리에서 나온 이야기가 명사 초청 특강은 현장에서 이루어지는 오프라인 행사니까 오프라인 업무를 담당하는 당시 필자의 팀으로 가야 한다는 의견이 나왔고 그 의견이 수용되었다는 것이다. 어이없는 건 당시 필자의 팀에서는 그 회의에 누구도 참석하지 않았다는 것이다. 그리고 오프라인 업무라는게 과연 뭔가? 무슨 업무가 오프라인 업무이고 아닌가? 그냥 누군가에게 떠넘길 구실만 찾은 거라는 생각을 지울 수 없었다.

그 일을 하는 팀원의 고충은 이루 말할 수 없었다. 영업사원이 수주하는 프로젝트와 신사업을 담당하는 일도 힘든 판에 명사 초청 특강까지 준비해야 했다. 특히 행사는 저녁에 회사에서 떨어진 외부에서 이루어졌다. 매 주 한 번씩 오후 5시에 회사에서 1시간도 더 걸리는 현장으로 이동하여 저녁 9시에 행사가 끝나면 다시 회사로 복귀하여 아직 끝내지 못한 업무를 반복했다.

입사하자마자 진행한 팀원과의 1:1 인터뷰에서도 공통으로 나온 의견이 제발 명사초청 특강만은 하지 않게 해달라는 것이었다. 필자의 팀장 자리가 일 년이 넘게 공석이었던지라 팀원의 힘으로는 이 문제를 해결할 수가 없었고 회사의 누구도 귀담아 들어주지 않았다고 했다. 참으로 안타깝고 어이없었다.

그러나 팀장으로서 해결을 해야 할 일이었다. 신사업을 추진하고자 입사한 입장에서 이 일을 가지고 당장 대표이사에게 달려가기도 난감한 상황이었다. 새로운 사업에 대한 필자의 의견을 보고하는 자리에서 대표이사에게 회의 뒤에 넌지시 이 상황을 알려 드렸다. 대표이사가 그 당시 결정을 한 사안이니 대표이사에게 물어보는 게 가장 낫다고 판단했기 때문이다.

대표이사는 이 상황을 알고 있다고 했다. 충분히 공감한다고도 했다. 그러나 현재로서는 원래 그 일을 하던 팀이 여력이 없으니 좀 더 조직이 강화되면 하도록 도와주자고 했다. 그래서 내린 잠정적인 결론은 원래 그 일을 담당하던 팀에서 업무를 가져가기 전까지는 필자팀이 책임은 가지되 외주인력을 활용하기로 했다.

그러던 차에 해당 일을 총괄하는 부문의 신임 임원이 입사했다. 어느 정도 적응이 되기를 기다렸다가 이 건을 해당 임원에게 공유하였다. 신임 임원은 조직을 장악하고 정비하게 되면 가져가겠다고 했다. 그렇게 1년의 세월이 지나갔다. 현장 외주를 주었기에 다행히 팀원들의 에너지 소모는 줄어들었다. 때를 기다리면서 참았다.

1년이 흐를 즈음 회사에 큰 교육장이 생기게 되었다. 회사가 오프라인 교육사업에 본격적으로 진출하게 되어 자체 교육장을 설립했다. 이제는 모든 오프라인 행사를 회사 내부에서 치르게 되었다. 그동안 단발성으로 치루던 행사나 교육프로그램의 현장운영에 대한 전문성이 필요하게 되었다.

교육장에 대한 전체 커리큘럼을 담당하는 것에 대한

이슈가 나왔다. 오프라인 업무이니 필자의 팀에서 해야 한다는 말도 안 되는 주장이 또다시 불거져 나왔다. 이런 말도 안되는 주장을 할 정도로 회사내부에 오프라인 업무에 대한 이해가 낮았고 필자의 영향력도 낮았던 것도 사실이다.

필자는 해당 업무를 맡아야 한다면 공식적으로 현장운영팀으로 발령을 내고 영업지원하는 업무와 신사업을 추진하는 업무 전체를 변경해 달라고 회사에 요청했다. 그러나 현장운영 전문가 영입은커녕 발령도 나지 않은 채 교육장에서의 업무가 시작되었다. 기가 찼다. 필자가 팀원 한 명과 직접 교육장으로 가서 근무하기 시작했다. 직접 책상을 나르고 쓰레기통을 비우고 커피추출기의 찌꺼기를 치웠다.

일단 회사의 업무가 정상적으로 운영되도록 만들었다. 그와 동시에 대표이사에게는 회사의 브랜드 가치에 직결되는 행사는 전문가가 해야 한다는 의견을 강력히 피력했다. 그러던 차에 임원 전원이 모이는 회의체에서 이 건이 논의된다는 것을 알게 되었다. 이 회의 참석자들에게 해당 부문의 신임임원이 일을 가져가겠다고 필자와 약속하면서 주고받았던 이메일의 내용 일부를 발췌하여 인용하였다. 이

건은 이미 실무선에서 결론이 난 건이지 새롭게 논의할 건이 아니라는 점을 주장했다.

결국, 회사의 브랜드 가치를 높이고 행사의 차별화를 위하여 업무의 총괄을 해당 임원이 총괄하는 팀에서 하게 되었다.

회사는 상식이 통하지 않는다. 그래서 경력직으로 입사하게 되어 업무를 처음 받을 때 기존 회사에서 골칫덩어리인 업무를 받는 일도 없지 않다. 이는 사람과 사람이 일하는 모든 조직에서 발생한다.

일이란 예측할 수 없는 경우가 있다. 조직 내외부적인 상황이 급변하기 때문이다. 예측 가능한 일만 할 수 있다면 얼마나 편안하고 안정되겠는가? 그러나 때론 예측할 수 없는 상황이 나타나기 마련이다. 예측불가능한 상황을 잘 통제하고 조절하는 사람이 진짜 실력이 있는 사람이고 리더이다.

5명이 일하는 팀에서 5명이면 전혀 문제가 안 되는 상황에서 한 명이 퇴사한다. 퇴사하는 사람의 일을 나누어 맡아야 한다. 그런데 새롭게 충원되어야 하는 사람의 입사가 점점 늦어진다. 그렇게 수개월이 지나간다. 시간이 갈수록 회사에서는 딱히 충원의 필요성을 느끼지 못하는 것

같아 보인다. 그러다가 남의 일이 나의 일이 되는 경우가 허다하다.

어떻게든 해결을 해야 한다. 이이제이는 남들을 이용해서 나의 시간이나 이익을 확보하라는 말이 아니다. 내가 예상하지 못했던 상황이 내게 닥쳐서 매우 불리하게 작용할 때 혹은 그럴 가능성이 있을 때 사용해야 하는 일종의 방어수단이다.잘될 수도 있고 안될 수도 있다. 그렇기에 평상시에 본인의 업무에 대하여 조직의 사람들에게 알리고 신뢰감을 올려놓을 필요성이 있다.

그리고 무엇보다도 그런 상황이 발생할 수도 있다는 마음가짐을 가지고 있어야 한다. 또한, 조직 내에서 일어나는 여러 가지 이슈를 자세히는 몰라도 어느 정도는 감을 잡고 있어야 한다. 묵묵히 내 일만 하고 인정받는 직장은 아쉽게도 흔치 않다. 주변의 사람들이 가만있지 않기 때문이다.

그래서 직장생활은 힘들다. 그 점을 인식하는 것이 우선되어야 한다. 필자는 회사에 근무하면서 회사의 공지사항을 읽지 않는 사람에 대해서 이해하지 못한다. 모든 공부의 답은 교과서에 있다고 했다. 최소한 회사에서 공식적으로 공표되는 공지사항이나 글은 반드시 읽고 이해해야 한다.

회사가 어떤 방향으로 가고 있는지를 알고 그것이 현재 본인의 상황에 어떻게 적용될지를 항상 생각하면서 생활해야 한다. 그게 회사생활의 한 부분임을 인정하고 받아들여야 한다.

이직코칭

1. 본인의 담당이 아닌 일을 맡게 된 경험이 있으신가요?
2. 어떤 일이었으며 어떻게 맡게 되었으며 어떻게 진행되었는가요?
3. 지금 재직 중인 회사의 가장 최근의 이슈는 무엇인지 적어봅니다.

6.

입사 후 처음 6개월동안 회의에서 해야 할 일과 하지 말아야 할 일

회의란 무엇인가? 회의는 여러 사람이 모여서 특정 목적을 위한 논의를 하는 시간이다. 회의가 없는 회사가 있을까? 외국에 있거나 재택근무를 한다 하더라도 화상회의를 언제든지 할 수 있는 시대이다.

코로나 팬데믹의 영향으로 화상회의의 중요성은 더욱 커지고 있다. 회의는 소통의 수단으로서 반드시 필요하다. 조직의 규모가 커지면 커질수록 회의의 시간과 범위도 커진다.

흔히들 팀장급이 되면 회의에 참석했다가 하루가 다 갔다는 말을 종종 한다. 틀린 말이 아니다. 출근 시간이 9

시라 하더라도 대표이사가 참여하는 팀장급 이상 회의는 주로 8시 이전에 열린다는 것은 공공연한 비밀이 아닌 현실이다. 월요일 아침 8시에 주간회의를 하고 9시에는 본부회의를 하고 점심 먹고 난 후 2시부터 팀 회의를 하고 프로젝트 회의를 2개 정도 소화하니 월요일 오후 6시가 되었던 게 필자의 실제 경험담이기도 하다. 일은 언제 하느냐고? 그러게 말이다.

그래서 야근이 반복된다. 화요일부터는 회의 때 결정된 안건에 대한 추진계획을 세워야 한다. 대표이사는 회의일정이 살인적이다. 특히, 안건 하나하나가 대충 흘려버릴 사안이 아니다. 최대한 집중하고 의사결정을 해야 한다.

이렇게 많은 회의를 해도 회의가 과연 성과에 얼마나 영향을 미치는가에 대한 부정적인 의견이 많다. 그냥 가서 머리만 숙이고 있다가 오는 회의도 많다. 의견을 내면 의견을 냈다고 일을 떠맡아 본 경험이 있는 사람들일수록 회의는 피해야 하고 방어하는 시간이지 소매 걷어붙이고 허심탄회하게 말하는 시간이 아니다.

외국도 마찬가지이다. 오죽하면 그 유명했던 GE의 전 회장 잭 웰치도 타운미팅Town Meeting이란 회의체를 만들었을까 싶다. 타운미팅이란 회사 내부의 구성원을 회사 밖의 연수원에다가 몰아넣고 특정 주제에 대해 난상토론을 하게 한다. 그런 후 CEO가 직접 현장에 가서 의사결정을 해버리고 바로 실행할 수 있도록 하는 제도이다.

회의의 결과를 현실에서 바로 실행해버리는 강력한 효과가 있다. 그냥 회사 내에서 부드럽게 진행되었다가는 경쟁사에 뒤지고 사안 자체가 의미 없게 되어 버리기 때문일 것이다. 또한, 조직 내부의 누군가가 회의를 이끌다 보면 그 회의 주최자의 영향력과 이해관계에 맞도록 회의의 방향이 끌려갈 수도 있다. 그래서 외부의 전문가를 초빙하여 회의를 촉진하는 역할을 맡기는 퍼실리테이터Facilitator까지 등장시켰다. 이토록 회의를 없앨 수는 없으니 회의에 대한 다양한 방법을 고민하는 것이 회사의 과제이기도 하다.

가령, 출근 첫날 회의에 들어갔는데 임원이나 CEO가 입사한 경력직에게 실무에 대한 질문을 했다면 과연 어떤 답변을 해야 할까? 필자 같은 경우는 아예 출근 첫날부터 아침 8시에 회의에 들어가서 첫 인사를 한 경험을 여러 번 했다.

첫 인사를 하면 대부분 임원이나 CEO로부터 질문을 받았던 거 같다. "요즘 업계 동향에 대해서 신임 팀장의 생각은 어떠합니까?"란 질문을 받았다고 치자. 모른다고 하는 게 맞을까? 아직 적응을 못 해서 모르겠고 좀 더 파악하고 해보겠습니다"라고 해야 할까? 둘 다 틀렸다. 업계 동향을 잘 알고 이를 업무에 제대로 접목하라고 뽑은 사람이다.

또한, 현재 몸담은 회사가 신규로 이 사업에 진출하기 위하여 전문가라고 뽑은 사람의 입에서 모른다는 답변이 나온다는 건 있을 수 없다. 연봉계약서의 잉크도 아직 마르지 않았다. 최소한의 상식적인 이야기라도 간단히 답변한 후 현 조직의 세부상황을 파악한 후 좀 더 구체적인 보고를 하겠다는 식으로 마무리하는 게 정석일 것이다.

경력직으로 입사하여 회의에 들어가게 되면 이 사람 저 사람이 일종의 테스트를 한다. 누군가는 본인이 가진 영향력을 보여주려고 일부러 삐딱하게 나오기도 하고 어떤 사람은 아는 답이 있으면서도 경력직에게서 그 답이 나올 때까지 침묵하기도 한다.

경력직의 입장에서는 역설적이지만 회의야말로 본인이 갖춘 실력을 보여줄 수 있는 공개적인 자리이기도 하다. 따라서 회의에 잘 적응하는 것이야말로 조직 내부의 분위기나 사람을 파악하는데 긴요한 시간이며 또한 자신의 입지를 구축하는데도 매우 소중한 시간이 된다.

경력직으로 입사하여 6개월 동안 회의에서 해야 할 일과 하지 말아야 할 일은 무엇일까? 바로, 태도는 겸손하게 하고 진행되는 회의 속도에 본인을 맞추어야 한다.

겸손은 개인적인 태도를 말한다. 누구나 이해하기 쉽겠지만, 본인이 전문가로서 많이 알아도 과장해서 알리려고 하지 말고 설득하려고 노력해야 한다. 또한, 누군가 본인을 밀어붙이거나 강압적으로 대하더라도 흥분하거나 같이 맞짱을 뜨는 일은 절대 삼가야 한다. 화내면 지는 거다.

상대를 알고 나를 알면 백전백승이라 했다. 상대를 알기 위한 시간으로서 회의 전에 회의에 들어오는 사람들의 성향을 알아내고 회의 안건의 중요성에 대해서 이해하여 최대한 준비를 하되 본인이 말할 때와 들을 때를 의도적으로 조절하는 솜씨가 필요하다.

속도에 본인을 맞춘다는 말은 전체적인 회의 분위기를 파악하여 이에 본인의 속도와 리듬을 맞추라는 말이다. 즉, 어떤 회사는 회의 자체가 너무나 빠르게 진행된다. 서론을 설명하려다가는 느린 사람, 분위기 파악 못 하는 사람 심지어는 답답한 사람이 될 수 있다. 더 심해지면 무능한 사람으로 낙인이 찍히기도 한다.

즉, 그 회사의 회의 문화나 해당 회의 구성원의 회의하는 속도를 본능적으로 파악해야 한다. 회의의 중심을 잡은 임원이 의견을 내는 속도가 빠른 것을 알게 되었다면 즉각적으로 결론 위주로 말해야 하고 어떤 회의체는 매우 조심스럽게 진행된다는 걸 알았다면 본인의 말투나 의견도 천천히 하나씩 풀어내도록 조절하는 것이 맞다.

본인이 아무리 뛰어난 과거를 가지고 있어도 처음 새로운 조직에 들어갔을 때는 그 조직의 현재 상태As-Is를 파악해야 한다. 그 상태를 파악해야 본인이 포지셔닝Positioning할 단계To-Be가 정해질 수 있고 그래야 그 사이의 간극Gap을 알 수 있다. 간극을 알아야 그것을 어떻게 메울 것인지 아니면 무시할 것인지 혹은 새로운 것을 창조할 것인지를 결정할 수 있다.

만약 본인이 온종일 회의에만 들어가도 어떠한 보고서도 만들지 않고 어떤 의견도 내지 않았다면 부하직원이 당신을 얼마나 무능력하게 생각하는지 물어보지 않아도 된다.

회의 하나를 통해서도 본인의 현재 위상을 알 수 있다. 입사 후 첫 6개월 동안 회의에서 겸손과 속도만 잘 지켜도 자신을 조직에 잘 적응시킬 수 있다. 또한, 자신의 위상이 어떠한지 정확히 알 수 있을 것이다.

이직코칭

1. 입사 첫 날 당신의 상사로부터 받은 업무와 관련된 첫 질문은 무엇인가요?
2. 본인이 생각하는 회의가 무엇인지 정의를 내리고 적어봅니다.
3. 회의 중의 본인의 역할은 무엇이며 어떻게 참여하고 있는지 제3자가 되어 생각해봅니다.

7.

절대 이직하면 안 되는 사람의 2가지 유형

예전에 비하면 요즘은 이직하는 일이 그렇게 어렵지 않다. 전통적인 신입사원 공채로부터 시작하여 한 단계 한 단계 승진하는 문화가 중심인 대기업에서도 이제는 경력직으로 입사하는 사람들이 늘고 있다.

또한, 기업의 성격보다 본인이 수행하는 업무 즉, 직무에 따라서 이직의 유연함이 더욱 드러나기도 한다. 특히, 기술직 흔히 말하는 IT 쪽에 근무하는 사람이거나 전문적인 기술을 가진 인력은 이직을 좀 더 자주 그리고 수월하게 하는 것도 사실이다. HR 컨설팅 영역만 보더라도 어느 정도의 역량이 갖춰지면 좀 더 큰 곳, 연봉이나 조건이 좋은 곳으로 이직하는 경우가 허다하다.

그런데 이직을 하면 안 되는 부류의 유형들이 있다.

첫째, 말은 많되 실행은 하지 않는 유형이다. 누가 물어보지 않아도 만나는 사람마다 회사의 모든 이야기를 다 해댄다. 좋은 점보다는 안 좋은 점을 더 많이 이야기한다. 결국, 결론은 회사를 옮기고 싶다는 것이다. 옮기고 싶은데 어디 괜찮은 회사 없냐며 듣는 사람에게 짐을 지운다. 사람과 사람을 소개하는 것은 쉬운 일이 아니다. 쉽게 생각해서도 안 되는 일이다.

필자가 어느 회사의 최종면접에 갔을 때의 이야기다. 최종면접은 대표이사와 단독으로 만나서 이야기를 나누는 시간이었다. 이런저런 이야기를 나누고 거의 면접이 마무리되어갈 무렵 대표이사가 필자에게 필자의 평판을 확인해볼 수 있는 사람이 누가 있느냐고 물었다. 순간, 딱 떠오르는 사람이 한 분 계셨다. 필자가 이쪽에서 일하면서부터 십 년 넘게 인연을 맺고 멘토로 삼고 있는 분이었다. 물론 업계에서 성공하셨고 웬만한 업계 사람이면 아는 분이었다. 대표이사도 그분을 알고 있다고 말했다.

면접이 마무리되었다. 면접을 마치고 회사 밖으로 나오자마자 그분께 전화를 드렸다. 보통 평판조회를 할 때에는 본인이 조회를 부탁하고 싶은 사람에게 미리 사정을 설명하고 구두로라도 확답을 받은 후에 그 사람을 상대방이나 회사에 알리는 것이 예의이다. 그런데 면접 때 갑작스럽게 질문을 받아서 미처 그 분에게 허락을 받지 못했기에 필자의 사정을 그 분께 이야기했다.

멘토께서는 흔쾌히 그러라고 동의해 주셨다. 그 다음 날 합격통지를 받았다. 멘토에게 감사의 전화를 다시 드렸다. 그때 멘토께서 나에게 해 주신 말이 있는데 아마 죽을 때까지 잊지 못할 것이다.

'너의 성공을 위해 나를 쉽게 활용하지 마라'

멘토는 필자가 지난번 회사를 그만두는 결정을 할 때 멘토입장에서는 너무나도 상식 밖의 결정을 내렸다고 생각하며 그 이유 때문에 이제는 필자를 신뢰하기가 어렵다는 말을 해 주셨다. 필자가 갑작스레 회사를 그만두고 육아를 하기로 한 것 때문에 그러신 거였다. 충분히 공감할 수 있었다.

그럼에도 필자를 위해 평판조회에서 좋은 이야기를 해주신 거였다. 그런데 필자는 평판조회에 대하여 너무 쉽게 상대에게 부탁한다는 것을 깨달았다. 나의 행동 하나하나를 누군가는 대놓고 뭐라 하지는 않지만 지켜보고 있다는 것을 새삼 배웠다. 멘토의 정확한 피드백에 지금도 감사드린다. 내가 소중하듯이 상대도 소중하게 생각해야 한다. 그러한데 불평만 가득한 사람을 무엇을 믿고 회사나 좋은 기회를 소개해줄 수 있겠는가?

두 번째의 경우는 우물 안에 사는 개구리 유형이다. 정작 자신의 실력이나 상황은 관심이 없다. 오로지 자신이 받을 연봉이나 직책 등 혜택에만 관심이 있다. 필자가 신사업을 추진할 때 내부직원의 추천으로 경력 있는 사람 한 명을 면접 보게 되었다. 내부직원의 추천도 있었기에 상당히 기대하고 면접을 시작하였으나 채 5분도 되지 않아 면접 자리에 앉아있는 것조차 싫어졌다.

면접을 보러 온 사람이 오자마자 본인은 연봉이 얼마가 되어야 하며 당연히 팀장 직책을 바라는데 필자의 회사 사정이 있고 하니 그 점을 참작해서 본인이 기다려주겠다는 말을 했다. 적반하장도 유분수지 누가 면접관이고 누가 면접을 보러 온 사람인지 어이가 없었다. 대체 회사를 어떻게 보고 이런 식의 말을 하는지, 더욱이 최소한 10년 이상의 경력자를 뽑는 자리였는데 실제로 면접을 해보니 그 사람이 보유한 전체 경력 중 필자의 회사가 찾는 경력은 고작 1년을 보유했을 뿐이었다.

무슨 생각으로 면접자리에 왔는지 왜 다른 사람의 소중한 시간을 허비하는지 한심했다. 추천한 내부직원에 대한 필자의 인상 또한 좋지 않게 된 것이 솔직한 사실이다. 이런 유형은 자신을 알아야 한다. 그래서 필요하다면 이직할 의사가 없음에도 구직사이트에 들어가서 실제로 지원을 해보는 것도 필요하다. 서류가 통과되는지만 보아도 현재 자신의 경력이 시장에서 어느 정도 값어치를 하는지 대략 판단할 수 있다. 그리고 주변 사람이나 상사에게 솔직한 피드백을 듣고자 물어야 한다.

이직은 결국 실행과 실력의 문제이다. 결정하게 된다면 심사숙고한 후 실행하거나 잊어버리는 것이 정신건강에도 좋다. 그리고 항상 답은 교과서에 있듯이 가장 기본이고 중요한 것은 실력이다. 낭중지추라 했다. 실력이 있는 사람은 반드시 기회가 찾아온다.

이직코칭

1. 지금 이 순간 평판조회를 부탁할 사람이 떠오릅니까? 누구이며 이유는 무엇인가요?
2. 누군가 당신에게 평판조회를 부탁한다고 할 때, 흔쾌히 받아 줄 사람은 누구이며 이유는 무엇인가

요?

3. 경쟁자들과 비교했을 때 당신의 실력은 어느 정도 인지 생각해보고 적어봅니다.

8.

조직내에 멘토 한 명씩은 만들자

새로운 회사는 낯설다. 사회생활을 처음 하는 신입사원뿐만 아니라 사회경험 수 년 차인 베테랑도 이직한 회사로의 적응은 쉽지 않다. 이러한 낯설음을 최대한 빨리 없애고 조직에 잘 적응하기 위한 여러 가지 노력이 필요한데, 기업 차원에서도 직원의 조기 정착은 매우 중요한 이슈이다.

회사는 사람과 사람이 함께 만들어 나가는 조직이다. 그렇기에 조직에 먼저 적응을 한 우수한 인력이 새롭게 입사하는 사람과 함께 시간을 보내도록 유도하여서 조직을 알고 또 인간적인 친밀감을 제공하는 프로그램이 멘토링이다. 멘토링은 조직 내에서 존경받는 훌륭한 인재를 멘토로 선발한다. 그런 후 멘토로 하여금 지원이 필요한 멘티에게 적합한 지식이나 경험 그리고 눈에 보이지 않는 조직의 문화나 가치를 알려주는 것을 목적으로 한다.

일반적인 기업교육에서의 멘토링은 자발적이라기보다는 회사담당자가 일방적으로 멘토를 지정하고 멘토는 이를 받아들여서 업무시간 중이나 혹 시간 외적으로 멘토링을 받는 사람 즉, 멘티와 함께 다양한 활동을 하게 된다.

멘토링의 효과는 제대로 진행된다면 매우 크다. 특히, 예전처럼 상명하복의 문화가 일색이었던 조직문화에서는 누구나 시키는 대로 움직이고 같이 행동하는 것이 일반적인 방식이었다면 요즘처럼 개인의 특성과 사생활을 어느 정도 중요시하는 조직문화에서는 개인이 조직에 적응하는데 있어서 멘토링이 그 역할을 톡톡히 한다.

실제로 필자가 모 병원에서 멘토링을 직접 설계하고 운영하던 중 경험했던 잊지 못할 사례가 하나 있다. 약 2달간의 멘토링 직후 각자의 소감을 발표하는 자리에서 한 멘티가 "멘토링이 아니었다면 저는 병원을 그만두었을 것입니다. 멘토링을 시작하기 직전에 저는 정말로 힘들었습니다. 그런데 멘토의 조언과 지지가 저를 다시 일으켜 세웠습니다"라는 소감을 말했을 때 다 같이 눈시울이 뜨거워졌던 기억이 아직도 생생하다.

만약에 조직 내에서 멘토링을 시행하지 않는다면 어떻게 하면 좋을까? 그럴 때는 입사한 사람 자신이 스스로 멘토를 찾아야 한다. 본인에게 롤모델이 되어줄 수 있는 사람이 누구인가를 파악하여야 한다.

사람을 선택할 때에는 각자 맡은 직책이나 직급에 따라 그에 맞는 적당한 사람을 선택해야 도움이 된다. IT분야처럼 나이 든 사람보다 젊은 사람이 더 실력이 뛰어난 분야에서는 나이 든 사람이 나이가 어린 사람인데 실력이 뛰어난 사람을 멘토로 선택하는 역멘토링이 발생하기도 한다.

하지만 대부분은 나보다 연배가 있는 사람, 나보다 조직 경험이 많은 사람 그리고 업무나 조직에 대해서 잘 아는 사람을 선택하는 것이 낫다. 이에 해당하는 대략의 사람들을 몇 명 추렸다면 그 사람들에 대한 주변의 이야기를 들어봐야 한다. 단순히 바라만 보는 점이 아니라 그 사람과 함께 일했거나 관련된 사람의 이야기를 들음으로써 그 사람의 인성이나 역량을 검증해야 한다.

무엇보다 고려해야 할 점은 그 사람이 멘토가 되어 달

라는 요청을 받았을 때 어느정도 감당할 수 있는 상황에 있는가도 동시에 고려해야 한다. 너무나 훌륭하고 주변에서 칭찬이 자자한 선배인데 지금 예민한 프로젝트를 담당하고 있다든가 어떤 사정이 있어 멘토링을 제공할 수 없는 상황에 있는지 확인해야 한다.

이런 상황을 고려하여 멘토를 마음속으로 점찍었다면 어떻게 나의 마음을 멘토에게 전달할 것인지를 결정한다. 나 스스로 아무도 시키지 않았는데 조직에 잘 적응해서 일을 잘하기 위해서 선택하고 실행하는 순간이다. 내가 전적으로 책임을 지고해야 한다. 설령, 멘토링을 요청받은 선배가 멘토링을 어떤 이유에서건 거절했다면 그것도 좋은 마음으로 받아들일 준비도 필요하다.

선배의 입장에서는 후배가 혹은 모르는 타 부서의 누군가로부터 '제 멘토가 되어 주십시오'라는 요청을 받았을 때 기분이 좋을 것이다. 왜냐하면, 자신의 회사 생활을 그래도 누군가 인정해주고 있다는 증거이기 때문이다. 멘토가 동성이 아니라 이성인 경우라면 오해가 생기지 않게 조심해야 한다.

특히, 기혼자인 멘토에게 멘토링을 요청한 후 저녁을 함께하자거나 퇴근 이후의 시간에 무언가를 하자고 제안

하는 것은 멘토에게 상당한 부담이 될 수 있다. 멘토링은 관심이 있는 이성을 만나는 시간이 아니라 조직 생활을 잘 하기 위한 방법이라는 것을 모르는 사람은 없을 것이다.

그리고 개인적인 의견이지만 멘토링은 가능한 한 타 부서의 사람과 하는 게 낫다. 타 부서의 사람을 선택하면 같은 부서 내에 근무함으로써 알게 되는 팀의 분위기, 팀원의 특성 등으로부터 약간은 자유로워질 수 있다. 또한, 타 부서원과의 교류를 통하여 좀 더 다양한 회사의 소식을 접할 수 있는 장점도 있다.

한편, 조직 내부에서가 아닌 외부의 누군가가 본인의 멘토가 될 수도 있다. 이럴 때는 본인이 가지고 있는 조직의 상황에 대한 좋고 힘든 점을 편하게 노출할 수 있다는 장점도 있지만, 본인 스스로 온전히 멘토링 시간을 확보하기 위해서 노력해야 하기에 조직생활을 할 때 장애요인이 될 수도 있다. 또한, 외부의 멘토는 큰 방향에 대해서는 도움을 줄 수 있지만, 세부적인 부분에서는 해당 조직에서 근무하지 않고 있기에 그런 부분은 고려해야 한다.

멘토링은 조직문화측면에서 분명히 도움이 되는 좋은 제도이다. 그러나 제도 자체가 가지고 있는 힘은 사람에 따라 결과를 좌지우지한다. 즉, 누구를 멘토로 선택하고 멘티가 되느냐에 따라 확연히 달라진다. 본인의 상황에 최대한 맞는 멘토를 선정하고 멘토에게 바라는 바를 구체적으로 알려야 한다. 가령, 엑셀을 가장 잘하고 싶어서 엑셀을 잘하는 누군가에게 멘토가 되어 달라고 요청할 때는 본인에게 어떤 엑셀의 기술이 필요한지를 정확히 상의해야 한다. 그래서 멘토가 수락하면 그에 맞는 계획을 짜고 실행하는 게 좋다.

일반적으로 기업 내에서의 멘토링이라고 하면 정해진 멘토와 편한 마음으로 차를 마시고 저녁이나 공연을 관람하는 정도로만 생각하는 경향이 있다. 그럴 수도 있다. 그것이 나쁜 것은 아니다. 하지만 소중한 시간을 투자하는 만큼 각자의 요구를 정확히 공유하고 공개하여 조금이라도 멘티의 회사생활에 도움이 되는 시간이 되는 게 최선이다.

멘토링과 코칭은 다르다. 코칭은 질문을 통하여 질문을 받는 사람으로 하여금 가장 적합한 답변을 스스로 찾도록 돕는 것이다. 코칭은 인간적인 관계보다는 질문을 받은 코치이가 스스로 해결책을 찾도록 도와주는 면이 강하고 멘토링은 인간적인 교류를 통해서 무언가를 전수하고 감성적으로 힘을 얻도록 도와주는 부분이 강하다.

또한 멘토링과 OJTOn the Job Training도 다르다. OJT는 업무에 초점을 맞춰서 현장에서의 업무 전달을 목적으로 한다. 기술의 숙련도가 관건이지 가르치는 사람의 인격적인 성숙도는 크게 고려되지 않는다는 점이 멘토링과 가장 다르다. 또한, 동일부서의 선임이나 동일 업무를 잘 알고 있는 전문가가 현장에서 즉각적으로 실행한다는 점도 OJT의 큰 특징이다.

이직코칭

1. 지금 직장에서 멘토가 있습니까? 있다면 누구이며 이유는 무엇인가요?
2. 직장 외적으로 고민을 상담하는 멘토가 있다면 적어봅니다.
3. 본인은 누군가에게 멘토로서 어떤 모습이며 혹은 모습일지 생각해봅니다.

4부

Evaluate
평가하라

1.

다시 이직해야 할까 고민이 들 때 가장 먼저 해야 할 일

20여 년간의 직장생활 중 이직을 했던 기억 중에 가장 힘들었던 때는 1년간의 육아를 하고 난 후 다시 직장을 알아보던 시기였다. 나름대로 긴 안목을 가지고 선택했던 자발적인 퇴사였지만 퇴사 이후 현실은 그렇게 녹록지 않았다.

사회로부터 단절되었다는 기분은 점점 줄어드는 연락으로 확인할 수 있었다. 육아 때문에 물리적인 시간을 사용하는데 몸이 자유롭지 못하니 이런저런 핑계를 대면서 각종 약속에도 나가지 않게 되었다. 그래도 사회생활에 대한 끈은 가지고 있어야 한다는 생각으로 옛 동료가 운영하던 인사교육컨설팅 회사에 직원으로 등록했다. 그리고는 가끔 들어오는 프로젝트성 일만 소화하기로 하였다. 반 직원 반 프리랜서와 같은 모양새의 근무형태를 가지게 된 것이다.

좋게 말하면 원하는 방식대로 일할 수 있고 나쁘게 말하면 수입이 일정치 않은 애매한 입장이 되었다. 옛 동료의 배려로 기업체 강의 등 단발성 업무 위주로 한 달에 한두 번 정도 일을 했다. 생활비로 쓰기에는 턱없이 모자란 돈을 벌었다. 그렇게 6개월이 흘러갔다.

날씨가 추워지고 겨울이 왔다. 필자 자신을 알리는 활동 자체를 하지 않으니 세상이 알아줄 리가 없었다. 그렇다고 SNS상에 글을 올리거나 카페를 개설하는 등 프리랜서로서 필요한 홍보작업조차 하지 않고 혼자만의 세계에 점점 빠져들고 있었다. 무언가 결단을 내려야 하는 시기가 다가왔음을 본능적으로 알 수 있었다.

결국, 다시 직장으로 돌아가자는 결론을 내렸다. 회사를 그만둔 지 2년여만의 결정이었다.

구직사이트를 뒤지기 시작했다. 솔직히 말해 가리지 않고 이력서를 다 보내기 시작했다. 헤드헌터건 직접 지원이건 필자가 할 수 있는 직무라면 하나도 빠짐없이 원서를 제출었다. 쉽게 될 거라는 예상은 하지 않았지만 총각 시절 때나 결혼해서 아이가 없을 때의 이직 시도와는 또 다른 중압감이 항상 온몸을 감쌌다.

그래도 규칙적인 생활은 유지하려고 노력했다. 그래야 당장 내일이라도 출근할 수 있다고 생각했다. 새벽에 외국어학원을 등록했다. 아내가 아이를 아침에 어린이집에 보내기로 하고 필자는 새벽에 집을 나와 아침 첫 수업을 들었다. 아침에 수업을 마치면 대략 7시 30분가량 되었다. 집에서 학원까지는 걸으면 대략 1시간가량 걸리는 거리였는데 차를 타지 않고 걸었다. 걷다 보면 막 출근을 하는 사람들과 마주치곤 했다.

내가 서 있던 자리. 저기 어딘가에 나도 있었는데. 하지만 내 자리는 없었다.

선택에는 책임이 따른다. 그리고 그 책임은 예상했던 것보다 훨씬 막중할 수 있다는 것을 그해 겨울 다시 배웠다. 걸어서 동네도서관으로 가면 9시였다. 걷다가 김밥집에서 김밥을 한 줄 사서 가방에 넣고 도서관에 와서 김밥을 먹고 다시 구직사이트를 뒤지기 시작했다.

이 과정을 통해 필자는 매우 중요한 사실을 알게 되었다. 필자의 경력이 상승곡선이 아니라 하향곡선을 타고 있었다는 점이다. 40대 초반 경력이 상승하는 시기에 회사를 그만둔 것이고 40대 중반을 넘어서면서 경력이 하향곡선을 그리기 시작하던 때에 다시 구직하게 된 것이다.

인사팀에서 근무했고 인사컨설팅을 했던 경력 자체가 창피할 정도로 정작 필자 본인의 상황에 대해서는 너무나도 무지했다. 심각한 상황이라는 것은 지원하면서 바로 확인할 수 있었다. 이직과 관련된 어떤 연락도 오지 않았다. 사람이 하는 흔한 오해 중의 하나는 아무리 심각한 일이어도 본인에게 실제로 발생하지 않으면 그건 그냥 하나의 기삿거리 혹은 하나의 정보일 뿐이라는 점이다.

필자 또한 마찬가지였다. 필자에게는 그동안 쌓아온 나쁘지 않은 경력이 있었고 그것들을 증명해 줄 수 있는 네트워크가 있다고 생각했었는데 그게 오산이었다. 그런 깨달음을 얻을 때 즈음에 한 회사로부터 연락이 왔고 다행히 그 기회를 잡았다.

많은 사람이 이직을 꿈꾼다. 필자가 경력직 이직을 도와주고 이직한 직장에서의 적응을 도울 수 있다고 믿는 이유는 필자 스스로 직접 다양한 경험을 했기 때문이다.

이직이라는 분야에서는 이론보다는 경험이 더 도움된다고 확신한다. 그 이유는 사람마다 상황이 다르기 때문이다. 결국, 먼저 그 길을 간 사람의 사례를 보면서 자신 안에 있는 강점을 발견하고 자신에게 맞는 방식을 찾는 것이 가장 현명한 길이다.

만약 옮겨야 한다는 생각을 하게 된다면 일단 종이를 준비하라. 그리고 옮겨야 하는 이유를 다 적어라. 이유를 하나도 빠짐없이 적어야 한다. 그런 후엔 다른 종이에다가는 현재 본인이 처한 상황을 다 적어라. 언제 목돈이 들어가야 하는 시기가 있다든지, 십 원도 벌지 못한 채 얼마나 버틸 수 있는지 등 지금 이 상황이 개선되지 않는다는 전제 아래 다가올 상황을 다 적어라.

그런 후에 그 상황들 하나하나의 무게가 무거운지 중간 정도인지 아니면 짊어져도 괜찮은지 판단해보라. 무거운 게 많으면 많을수록 쉽게 지치고 좌절하게 될 가능성이 높다. 이 모든 작업의 대전제는 그만두기 전에 해보라는 것이다.

이제는 고인이 되셨지만, 필자가 롤모델로 삼았던 구본형이란 분이 계셨다. 삶에 대한 통찰과 깊이 있는 인사이트를 주는 책을 내시고 강연을 다니시던 분인데, 이 분도 회사를 그만두고 책을 쓴 게 아니라 회사에 재직하면서 책을 썼다. 그리고는 그 책으로 말미암은 수입이 본인이 받는 월급의 대략 50% 정도가 되었을 때 그리고 수입이 6개월 정도 지속해서 이어졌을 때 직장을 그만두었다고 한다. 그런 자신만의 기준이 있어야 한다.

회사를 옮기고 싶은가? 직업을 바꾸고 싶은가? 지금 당장 적어보라. 이 작업부터가 이직의 시작이라는 점을 절대 잊지 말기를 바란다.

이직코칭

1. 이직을 해야 한다고 가정합니다. 이직을 해야 하는 모든 이유를 다 적습니다.
2. 본인의 지금 상황과 현실적인 이슈를 전부 적습니다.
3. 적어진 상황과 이슈를 가중치에 따라 분류해봅니다. 이직을 위한 장애물은 무엇인가요?

2.

복지는 과연 회사선택시에 중요한가?

취직이나 이직을 고려하는 사람이 가장 많이 고려하는 부분은 연봉, 안정성 그리고 성장 가능성일 것이다. 추가로 그 회사의 복지가 괜찮다면 훨씬 더 끌리게 되는 게 사실이다. 어린 자녀가 있을 때에는 사내 어린이집, 육아휴직 등이 아주 큰 영향을 미친다.

회사가 어떤 복지에 어떻게 투자를 하고 있는지만 잘 살펴도 회사가 중요하게 생각하는 부분에 대해서 어느 정도 알 수 있다. 회사에서 제공하는 복지란 무엇일까? 크게 두 가지로 나뉠 수 있지 않을까 싶다. 첫 번째는 직원이 업무에 최대한 집중해서 최고의 성과를 낼 수 있도록 직원의 사기충족 차원에서 회사에서 제공하는 복지가 있을 것이다.

두 번째는 진심으로 회사의 창업주가 직원이 잘되어야 회사가 잘 된다는 마음으로 복지를 제공하는 경우이다. 후자의 경우, 회사의 규모보다 훨씬 나은 파격적인 복지를 제공하기도 한다. 몇 년 전에 경기도 파주에 있는 어떤 회사는 직원의 식사를 위해 호텔쉐프를 직원으로 채용하고 지하에 실내수영장을 제공하였다는 기사를 본 적이 있다. 직원이라면 누구나 근무시간과 상관없이 수영할 수 있다는 것이다. 수영을 하루도 빠지지 않고 하는 필자로서 잠시나마 그 회사의 홈페이지와 채용공고를 살폈던 기억이 난다.

복지란 회사에서 직원에게 제공하는 가치Value이다. 가치를 실현하는 것이 조직문화이다. 복지는 또한 직원과 함께 성장하겠다는 CEO의 마음을 직접 체감할 수 있게 해주는 중요한 수단이기도 하다. 하지만 그럼에도 바뀌지 않는 경영 철칙은 바로 복지는 성과와 반드시 연결된다는 사실이다.

한 가지 상황을 상상해보자. 이직하려고 한다. 취업사이트에서 이 회사 저 회사를 기웃거려 본다. 혹은 헤드헌터

한테 연락이 왔다. 그런데 괜찮은 회사다. 거기에 복지혜택도 엄청나게 괜찮다는 신문기사를 본 적이 있다. 그렇다면 어쩌겠는가? 그 회사에서 나온 채용공고가 마치 나를 위해서 나온 거 같지 않을까? 신데렐라의 구두처럼 얼른 달려가서 신을 수 있도록 기다리고 있는 거 아닐까? 이력서를 넣는다. 연락이 언제 오나 점점 초조해진다. 그 많은 복지가 내 것인데 언제까지 기다려야 하는지 노심초사의 시간을 보낸다.

누구나 경험하는 상황이다. 복지혜택에 파묻히다 보면 내가 가진 경력과 지식에 대한 자각보다 복지에 더 매달리게 될 수도 있다. 즉, 주객이 전도되는 것이다.

육아 같은 특수상황을 위해 그런 복지에 집중적인 혜택을 주는 회사로 이직할 수도 있다. 그럼에도 필자는 경력직으로서 이직하는 경우 해당 회사의 복지에 대해서 최소한의 정보 정도만 알면 된다고 조언한다. 그 이상도 그 이하도 아니다. 즉, 서류가 통과되고 면접을 보고 난 후 회사의 담당자로부터 합격통지를 받았다면 그때 연봉협상을 하게 되는데 이때 중요한 점은 내가 받을 연봉과 직급이지 복지혜택이 아니라는 점이다.

가령, 내가 받고 싶은 연봉이 얼마인데 이직하려는 회

사에 현재 재직 중인 비슷한 직급의 사람보다 연봉 조건이 월등히 높은 경우, 회사의 담당자는 복지혜택을 제시하면서 연봉을 낮추려고 한다. 그러나 그 때 넘어가면 안 된다. 기본적인 복지는 선택이 아니라 모두에게 주어지는 것이다.

만약, 당신이 정말 회사에서 필요로 하는 사람이라면 어떻게든 그 연봉을 맞추어서 데려갈 것이다. 분명히 면접 때 연봉에 관해서 이야기했다면 최소한 회사에서는 그 연봉의 가능성에 대해서 한두 번은 내부 검토를 하고 당신의 합격 여부를 결정했을 것이다.

정말로 사람은 구하고 싶은데 연봉을 도저히 맞추지 못할 때에는 회사 차원에서는 솔직히 그 부분에 대해서 답을 해주는 게 맞다. 그리고 실제로도 그렇게 하고 있다. 또한, 합격을 한 사람 처지에서도 연봉을 수용하지 못하겠다면 최소의 연봉이 얼마인지를 알려달라고 말해야 한다. 그 차이를 회사가 제시하는 복지혜택으로 어느 정도 충당할 수 있다면 고려해 봐야 할 것이고 너무 차이가 크게 나면 합격을 했음에도 가지 못하는 상황이 될 수도 있다. 따라서 연봉협상을 할 시 가장 중요한 점은 실제로 받는 연봉과 직급이라는 점을 다시 한번 강조하고 싶다.

마지막으로 복지와 관련되어 면접에서 절대 실수하지 말아야 하는 부분이 있다. 보통 면접을 진행하다 보면 본인이 했던 일보다는 회사의 복지에 대해서 중점적으로 질문하는 지원자가 종종 있다. 면접을 준비하면서 얼마나 궁금했을까 싶어서 대답을 친절하게 해주는 편이다.

하지만 면접은 본인이 회사를 설득해야 하는 자리이지 본인의 관심사를 드러내는 자리가 아니라는 점을 알고 있어야 한다. 특히, 면접이 마무리되는 시점에 면접관이 추가로 궁금한 게 있는지를 물어보는 경우가 있는데 이때 복지 관련 질문을 하는 것은 자제해야 한다.

본인의 주요한 관심사가 회사의 복지라 하더라도 면접관이 마지막에 하는 추가 질문은 지원자가 좀 더 자신을 차별화하여서 높은 점수를 주려고 하는 의도인데, 이 기회를 자신의 관심으로 채우는 것은 너무나도 안타까운 점이다. 이런 실수를 너무 자주 접하기에 하는 말이다.

이직코칭

1. 본인이 가장 중요하게 생각하는 복지 혜택은 무엇인지 적어봅니다.
2. 그러한 복지를 제공하는 회사가 실제 있는지를 찾

아서 정리해 봅니다.

3. 당신에게 이직할 때 복지혜택은 얼마나 중요한 비중을 차지하나요?

3.

회사가 당신을 사야만 하는 이유

우리가 당신을 고용해야 하는 이유가 무엇입니까?

필자가 처음 면접 시에 실제로 들었던 질문이다. 이 질문에 당신은 뭐라고 답변하겠는가? 이 질문을 필자가 기억하는 이유는 이 질문이 면접의 흐름을 바꿨고 결국 합격으로 이끌었다고 확신하기 때문이다.

합격 이후 첫 출근을 하고 얼마 안 되어서 마련된 회식자리에서 인사팀장과 옆자리에 앉게 되었다. 인사팀장은 이번 면접의 250:1이었고 이렇게 합격한 여러분은 자부심을 느껴도 좋다고 격려해 주었다. 회사는 한국의 우수한 중소기업제품을 중남미에 수출 대행하는 일을 하고 있었고 정부와 KOTRA에서 지원하는 사업 형태였기에 무역에 관심이 있는 취업준비생에게는 상당히 매력적인 직장이었다.

서류를 통과하고 난 후 남은 면접은 매우 기대되면서도 긴장되는 시간이었다. 하지만 면접 당일 필자의 상황은 매우 부정적이었다. 면접은 한 번에 3명의 지원자가 4명의 면접관 앞에서 면접을 보도록 준비되어 있었다.

가운데 앉은 사람이 가장 힘이 있는 사람이란 생각이 들었다. 나이가 가장 많아 보였고 제일 자신감이 있어 보였다. 그렇다면 그 사람의 좌우에 포진한 남자 2명 중 한 명은 해당팀을 이끌 팀장일 것이고 그 외의 한 사람은 인사팀장이나 임원일 거로 생각했다.

면접방식은 면접관의 같은 질문에 3명의 지원자가 각각 대답하는 방식이었다. 이름을 직접 지명하는 식이 아니라 면접관이 한 가지 질문하면 오른쪽 지원자부터 답변하거나 왼쪽 지원자부터 답변하였다. 지금 생각하면 언뜻 이해가 안 가지만 당시 실제 상황이 그랬다. 필자는 가운데에 앉아 있었다. 필자 왼쪽의 지원자는 자기소개 때 들으니 사법고시를 준비하다가 취업의 길로 나왔다고 했다. 면접 초짜인 필자가 들어도 너무 면접을 못 보고 있었다.

즉, 면접관의 질문을 제대로 이해하지 못하고 동문서답하고 있었다. 실제 면접에 채용면접관으로서 참여해보면 이런 때가 종종 있다. 지원자가 너무 긴장하면 생길 수 있는 상황이다. 안타깝지만 면접관은 이런 경우 해당 지원자에 관한 관심이 확 꺾인다. 이런 상황이 반복되면 지원자를 파악할 수 있는 질문을 할 수가 없게 된다. 당연히 좋은 점수를 받을 수가 없다.

한편, 오른편에 앉은 지원자는 면접태도가 매우 훌륭했다. 어쩌면 그렇게 대답을 잘하는지, 그냥 패기가 있는 정도가 아니라 논리정연하게 대답했고 본인에게 불리한 질문에 대해서도 누구도 반론의 여지가 없을 정도로 차분하게 대응했다.

이 지원자가 답변을 마치면 그 다음은 필자의 순서였다. 왼편 지원자의 순서가 끝나면 필자는 일반적인 내용만 말해도 좀 더 나아 보이는 상황이었고 오른편 지원자의 순서가 끝나면 필자의 값어치가 뚝뚝 떨어지는 게 면접관의 눈빛에서 알 수 있었다.

지금은 기억도 나지 않지만, 영어질문을 받았는데 오른편 지원자가 맨 처음에 답변하였다. 그 지원자의 답변을 듣고 나서 면접관은 필자에게 같은 질문을 하였다.

"Me, too"

이게 필자의 답변이었다. 면접에서 영어실력을 보여야만 하는 이 중요한 순간에 달린 게 입이라고 나온 말이 '저도요'라니. 아무리 긴장을 했다고 해도 이미 엎질러진 물이었다. 면접관들의 흔들리는 눈동자와 길고도 어색한 침묵이 면접장의 분위기를 가라앉혔다. 망했구나.

이미 왼편 지원자는 누가 봐도 탈락할 가능성이 높았다. 최소한 경쟁률이 얼마인지는 몰라도 지원자 3명 중 1등은 해야 합격의 가능성이 높아지지 않겠는가? 그런데 오른편 지원자에게 계속 밀리다가 마침내 '저도요'로 방점을 찍고 만 것이다. 그나마 200번을 넘게 넣은 이력서 중에서 찾아온 기회를 이렇게 허무하게 놓칠 위기에 처해 있었다.

그런 암울한 상황 직후에 들은 질문이 바로 회사가 왜 필자를 고용해야 하는지를 설명하라는 것이었다. 거의 마지막 질문이라는 생각이 들었다. 허탈하고 억울하고 분했다. 이렇게 나갈 수는 없었다. 합격하기 전에는 절대로 이 면접실을 나가지 않겠다는 다짐을 하고 들어오지 않았던가.

당시 기업의 가장 큰 관심사 중의 하나는 지식산업이었다. 눈에 보이지 않는 지식을 조직 내에서 직원이 체득하게 하고 이런 자산을 문서로 만들고 보존하는 것. 나아가 지속 가능한 경영과 조직문화를 구축하는 것이 지식산업이 던진 화두였다.

필자 또한 신문에 관련 자료가 나오면 빼놓지 않고 읽고 기억해 놓곤 했다. 당연히 개인적인 관심이 바탕이 되었던 공부였다. 마치 연예인 이름 외우라고 누가 시키지 않아도 한 번만 보면 알고 기억되는 것처럼 지식산업에 대한 공부는 매우 흥미로운 관심사였다.

마지막 질문에 대한 답변은 필자가 가장 자신 있는 분야에 대해서 말하고 싶었다. 필자는 지식산업에 관해서 공부하고 있다고 답변했다. 그리고 지금 지원한 이 직무와 지식산업이 어떻게 연관성이 있는지 어떤 식으로 업무에 적용할 것인지에 대하여 생각나는 대로 이야기했다. 어차피 글러 버린 면접이지만 최선은 다해 마무리짓자란 심정이었다.

결과는 합격이었다. 어이없지만 회사 대표이사의 당시 가장 큰 관심사가 지식산업이었다고 합격한 이후 들었다. 그게 아니라면 합격할 이유가 솔직히 없었다. 영어점수도 경쟁자들보다 낮은 편이었고 면접도 그다지 잘 보지 못했다. 지금 생각해보면 지식산업이란 동향에 대한 관심이 있다는 점과 그것을 어떤 식으로든 주어진 직무에 적용해보려고 시도했던 점이 높은 점수를 받았던 거 같다. 간절하면 통한다.

필자가 장담하는데 경력직으로 이직하고 나면 회사는 당신이 갖춘 능력을 보여달라고 요구한다. 회사가 당신을 고용해야 하는 이유에 대해서 답변한 것을 실제로 증명해 보이라는 말이다. 벼랑 끝에 서게 된다. 낯선 조직문화, 파악되지 않은 동료. 나 혼자다.

이제 진짜 게임이 시작된다. 그렇기에 이직을 하기에 앞서 나에 대한 냉정한 평가가 필요하다. 스스로 면접관이라고 생각하고 그 회사에 관해서 공부한 이후 자신에게 질문해보자. 해당하는 업무의 전문성을 증명할 수 있는가? 무엇으로 증명하겠는가?

만약, 3개월 이내에 회사에 나의 능력을 증명해야 한다면 가장 먼저 무엇을 하겠는가? 이력서에 적은 당신의 경력이 진짜인가? 또 무엇을 적을 것인가? 이직하려는 회사에서 얻고자 하는 당신의 경력은 무엇인가?

필자는 이직보다 이직 직후의 3개월이 더 중요하다고 생각한다. 좋은 조건으로 이직한 후 3개월 만에 회사와 맞지 않아 정리되는 경우를 너무 많이 봐왔다. 아무리 버텨

봐야 1년을 못 채우는 경우가 허다하다. 결국, 이직은 사회생활을 시작하면서부터 준비를 해야 하는 필수적인 과정이다.

그렇기에 설사 이직을 하지 않는다 해도 왜 회사가 연봉을 주는지 그리고 본인은 무엇을 회사에 제공하고 있는지에 대해서 지속적인 자기평가가 필요하다.

이직코칭

1. 이직을 한다면, 회사가 당신을 고용해야 하는 이유가 무엇인가요?
2. 당신이 가진 전문성에 대해서 면접관에게 설명하듯이 적어봅니다.
3. 3개월 이내에 당신의 능력을 증명해야 한다면 지금 당장 무엇을 하겠습니까?

4. 성공하고 싶은가? 생활하고 싶은가?

모든 사람에게 해당하는 것은 아니지만, 상대적으로 사회초년생 시절에는 본인이 가족을 부양하는 경우가 아닌 경우, 본인에게 들어가는 의류비나 식비 혹은 주거비 이외에는 돈이 크게 들어가지 않는다. 그러다가 결혼을 생각하게 되면 목돈을 저축해야 한다.

결혼하게 되면 거주할 집을 마련해야 하고, 아이가 생기게 되면 지출의 규모가 정기적으로 커지게 되기 때문이다. 반면, 경력이 쌓이다 보면 본인의 사회적인 몸값 즉, 연봉도 상승하게 된다. 하루아침에 일확천금이 생기는 것은 아니지만 그래도 매년 조금씩이라도 연봉이 인상된다.

회사를 이직하는 경우가 몸값을 크게 올리는 가장 좋은 기회이다. 사회에 처음 나왔을 때의 연봉이 평생을 따라다닌 말도 거짓말은 아니다. 그렇다고 연봉이 상대적으로 낮은 중소기업에서 시작하는 것이 훨씬 불리하다는 말은 성립이 안 된다. 중소기업에 있다가 대기업으로 가게 되면 대부분 대기업에서 책정하고 있는 어느 정도의 기준에 맞는 연봉이 책정되기 때문이다.

헤드헌팅이나 취업공고를 보다 보면 연봉협의 칸에 '내규에 따름'이라는 표현이 들어있는 것도 이 때문이다. 대기업에서 중견기업이나 중소기업으로 이직할 때는 내규에 따르는게 불리하고 작은 기업에서 큰 기업으로 갈 때에는 내규에 따르는게 유리하다는 말이다.

경력이 많이 쌓여서 팀장급 이상으로 갈 때에는 내규에 따르는 경우보다는 기존에 본인이 가지고 있는 연봉에서부터 협상이 시작된다. 그렇기에 이직을 해야 한다면, 하고 싶다면 과장급에서 차장급으로 올라갈 때 중소기업에서 대기업으로 옮겨가는 것이 가장 연봉상승률을 올리는 방법이다.

차장이 된다는 것은 회사의 주요보직을 거쳐서 임원으로 갈 가능성이 있다는 말이다. 회사 차원에서는 중요한 일을 맡길 수 있는 직급이기에 신규 인력을 뽑을 때 훨씬 더 공을 들이는 법이다. 차장급은 아직 젊다고 여겨진다. 부장급으로 이직하게 되면 임원이 안 되면 바로 낙오할 수 있는 위험성이 있지만, 차장급은 임원이 되기까지 새로운 조직에 적응하여 본인의 실력을 증명해낼 수 있는 시간적인 여유가 상대적으로 부장급보다 많은 점도 장점 중 하나이다.

과장급정도에서 이직을 하려는 사람들과 상담을 하다 보면 다양한 이유가 존재한다. 상사와 문제가 많다, 회사의 비전이 보이지 않는다, 더 큰물에 가서 일해보고 싶다 등 제각각 이유가 다르다. 그러나 좀 더 시간이 흐르다 보면 근본적인 이유가 돈과 자신의 삶 이 두 가지로 귀결된다.

즉, 결국은 연봉을 더 올려서 나의 역량을 최대로 평가받고 싶다는 것과 같은 조건이라 할지라도 좀 더 자신이 원하는 삶을 살고 싶다는 쪽의 의견으로 정리된다. 이렇게 말하는 사람은 그래도 현명한 사람이다. 이 두 가지를 다 잡으려고 하다 보니 문제가 생긴다. 돈도 많이 받고 인간적인 삶도 챙기는 그런 직장이 있다면 누구라도 가고자 할 것이다.

한편, 돈도 적으면서 인간적인 삶도 챙길 수 없는 경우에 처해 있는 사람이 있다면 어서 본업 이외에 최대한 다른 일을 준비하시기를 조언한다. 영어공부를 하거나 컴퓨터학원에 다니거나 아니면 다른 업종으로 옮길 수 있는 무언가를 배우기를 바란다. 나이가 많이 차게 되면 이것도 대단히 힘들어지고 본인이 했던 분야에서 승부수를 던져야 하는 경우가 많이 발생하기 때문이다.

아무튼 돈과 자신의 삶. 이 두 가지 조건을 모두 충족시키는 것은 대단히 어렵다. 만약, 두 가지 중 한 가지를 선택해야 한다면 그에 맞는 실행 계획을 수립해야 한다.

우선, 돈에 초점을 맞춘다고 하자. 그렇다면 이는 연봉이 올라가면서 회사에서 평가를 잘 받는다는 것을 의미한다. 그렇게 되면 자연스레 승진이나 인사고과 점수도 높아질 수 있다. 이렇게 되고 싶다면 최대한 회사에 자신의 일하는 방식과 생활 방식을 맞춰야 한다.

몇 년 전 삼성에는 7시에 출근해서 4시에 퇴근하는 제도가 시행된 적이 있었다. 지금도 몇몇 회사에서는 시행이 된다고 들었는데 가령 7시에 출근하는 것은 당연하다고 치자. 그런데 만약 오후 4시에 퇴근할 시에 승진이나 성공이 목표라면 퇴근을 안 할 수도 있다. 타의가 아닌 스스로 말이다.

그런데 오후 4시가 되어서 사무실의 불이 꺼지고 노트북을 사용할 수 없게 되었다고 치자. 회사에서 성공을 바란다면 집에 가서라도 일을 할 것이다. 그것은 본인의 선택이다. 그리고 그렇게 일을 하게 되면 당연히 업무적으로 다른 사람보다 두각을 드러나게 된다.

누구나 한 번쯤은 그런 경험을 자의건 타의건 하게 되는 것이 사회생활이기도 하다. 문제는 이런 사람은 특히 가족의 지원이 매우 중요하다. 만약, 막 아이가 태어나서 육아를 함께해야 하는 맞벌이 부부의 입장이라면 어린아이를 배우자에게 전적으로 맡기고 일을 해도 되는지 아니면 퇴근이라도 제대로 해서 아이의 육아를 함께 해야 하는지에 대한 고민이 필요하다.

요즘 시대의 육아는 부부가 함께하는 것이다. 그러나 대부분 한국사회에서는 특히 지금 임원급 이상의 분들은 그런 분위기의 사회에서 살지 않았다. 역할이 최대한 명확히 분리되어서 남자는 돈을 벌고 여자는 아이를 기르는 시스템 속에서 살았고 그렇게 우리 세대는 자라났다.

그런데 이제는 다르다. 아내도 일한다. 그렇기에 아이 한 명을 기르기 위해서는 남자의 어머니, 여자의 어머니 그리고 그 외의 가족의 손길이 매우 중요하다. 그렇지 않고

서는 아침에 일찍 아이를 맡기고 특히 저녁 늦게까지 봐주는 기관이나 외부사람을 구해야 하는데 이게 보통 일이 아니다.

안타깝지만 아이를 낳아서 기르는 시기는 성인남녀라면 가장 직장에서도 일을 많이 하는 때이다. 그러기에 회사에서 요구하는 일도 많고 도전해야 할 과제도 많다. 정작 아이가 어느 정도 자라서 부모의 손길이 필요 없을 때가 되면 직장에서도 그 사람의 존재가 임원이 아닌 한, 크게 중요하지 않은 시절로 들어섰을 가능성이 높다.

그렇기에 맞벌이부부여서 공동육아를 해야 한다면 회사에서 원하는 대로 시간과 에너지를 들일 수 있는지 매우 진지하게 배우자와 상의해야 한다.

두 번째로 자신의 삶을 중시하는 가치에 초점을 맞추는 경우이다. 육아나 경제적인 여건 때문에 결혼을 포기하는 젊은 세대가 많아지고 있다. 또한, 결혼적령기를 넘겨서 혼자 생활하는 1인 가구도 많이 생겨나고 있다.

점점 더 자신이 생각하는 인생의 가치에 맞는 삶에 대한 고민이 많아지고 그것이 사회적으로 통용되고 있다. 예전에도 이런 생각을 하는 사람들이 왜 없었겠는가? 그런데 그때에는 그런 생각 자체가 일종의 사치라고 여겨졌었다.

당장 배고프고 헐벗은 마당에 무슨 인간적인 삶이란 말인가? 가장으로서 가족을 먹여 살려야 하는데 무슨 선택의 여지가 있었겠는가? 그런 시대를 거치며 사람들은 좀 더 자신의 삶이 중요하다는 것을 깨닫기 시작했고 그것을 실제로 실천하는 사람들이 늘어나게 되었다.

그런데 회사의 입장에서는 특히 인사담당자입장에서는 새로운 과제가 생겼다. 예전에는 이 산으로 가라 하면 이유도 묻지 않고 갔던 사람에게 이제는 이 산으로 가면 어떤 점이 좋은지, 무엇이 개인과 회사에 도움이 되는지를 알려줘야지만 그나마 움직여볼까 하는 세상이 되었다.

인재를 관리하고 육성하는 인사부서의 입장에서는 고충이 이만저만이 아니다. 자신의 삶에 초점을 맞춘다는 것은 매우 중요하고 의미가 있다. 그러나 한 가지 명확히 알아야 할 점은 내가 자신의 삶을 선택했다고 해서 회사에서 근무하는 하루 8시간의 시간을 대충 보내도 된다는 점은 아니라는 사실이다.

회사에서의 업무시간은 자신의 삶을 유지하기 위한 경제적인 활동 그 이상 그 이하도 아니라는 사람과 이야기를 나눈 적이 있다. 그 사람의 선택을 존중하지만 회사는 그 사람의 인생을 위한 도구가 아니다. 회사는 이미 알고 있다. 그러니 조심해서 자신의 목적을 유지해야 할 것이다.

회사에서 성공하고 싶은가? 나만의 가치관에 따른 생활을 하고 싶은가? 당신은 어떤 기준을 가지고 회사에 출근하는가? 어떤 기준을 가지고 회사생활을 영위하는가? 어떤 직장생활이 혹은 어떤 가치관에 근거한 일상의 생활이 당신에게 가장 가치 있는가?

결국, 어떤 삶이건 그것을 내가 선택해야 하며 그 선택에 대해서는 반드시 책임을 져야 한다. 설사 기대하는 결과가 나오지 않더라도 말이다. 그러한 삶에 관한 선택기준이 명확할수록 이직도, 이직 후 조직적응도 수월할 것이다.

이직코칭

1. 직장을 다니는 가장 큰 이유는 무엇인가요? 생각나는 대로 적어봅니다.
2. 적은 이유를 우선순위별로 분류해서 정리해 봅니다.
3. 당신이 추구하는 가장 중요한 가치를 실현하기 위해 무엇을 해야 하나요?

5.

입사 후 6개월 동안은 생각하고 또 생각하라

필자는 이직하고 싶은 사람을 상담할 때 입사 후 6개월 동안은 생각하고 또 생각하라고 조언한다. 그러면 많은 이직자가 무엇을 생각하란 말이냐고 되묻는다. 회사에서 발생하는 모든 일에 대하여, 본인이 수행하는 모든 업무에 대해서 심지어 이메일 한 통을 쓰고 보내기 직전에도 다시 한 번 검토하고 또 검토하라고 대답한다.

이메일을 받는 나의 상사는 어떤 성향인지를 파악해서 짧고 굵게 적을 것인지 서술형으로 길게 적을 것인지부터 사소하게는 오타가 있는지 등 매우 꼼꼼하게 일 처리를 하라고 강조한다. 사람의 첫인상은 3초면 좌우된다는 기사를 읽은 적이 있다. 그렇듯이 회사에서의 나의 위상도 내가 원하든 원하지 않든 간에 어느 순간 만들어진다. 어떠한 계기를 통하여 충분히 바뀔 수도 있지만 그럼에도 한 번 각인된 첫인상을 바꾸기는 결코 쉽지 않다.

모 대기업에 조직문화 전문가로 이직했을 때의 경험이다. 온종일 자리에서 일어나지도 않고 식사 때 빼고는 자료를 검토하고 작성하는 일을 반복했다. 입사하고 1주일이 지났을 때, 팀장이 커피를 한잔하자고 부르더니 회사 밖의 커피숍으로 데려갔다.

한참을 의미 없는 이야기를 주고받다가 꽤 난감한 표정으로 혹시 회사가 마음에 안 드느냐고 물었다. 전혀 그렇지 않으며 자료를 보고 배우는 게 아주 재미있다고 답변을 했다. 그리고 왜 그런 것을 묻는 것인지 되묻자 필자가 속한 조직의 부사장께서 오가다가 필자를 매일매일 바라보았는데 하루 종일 인상만 쓰고 있어서 이 친구가 회사가 맘에 안 드나 싶어서 걱정하시면서 팀장에게 한 번 물어보라고 했단다. 전혀 그렇지 않다고 웃으며 넘겼다.

그날 일과를 마치고 퇴근을 하면서 오전의 그 질문에 대해서 다시금 생각하였다. 필자로서는 최대한 빨리 업무를 파악하기 위하여 온 정신을 집중하고 있었는데 그것을 지나가다 본 부사장은 필자가 괴로워서 오만가지 인상을 다 쓰고 앉아만 있는 걸로 착각한 것이다. 부하직원의 표정 하나라도 신경 써주는 상사에 대한 고마움도 느꼈지만, 필자의 의도와 상관없이 그렇게 오해를 불러올 수도 있겠다는 생각을 하게 되었다.

그래서 그 다음날부터는 집중하더라도 가능한 한 인상을 적게 쓸려고 노력하면서 한 시간에 한 번씩 일어나서 일부러 여기저기 기웃거리면서 조직에 적응하려는 마음을 몸으로 표현했다. 한참 후에 조직 전체 회식 때 필자의 유머에 부사장이 크게 웃으시며 '네가 이렇게 재미난 구석이 있는지 몰랐다'고 할 때에서야 비로소 예전의 그 오해가 풀렸구나 싶었다.

어이없게 혹은 필요없게 들릴 수 있겠지만 처음 이직을 하고 적응기간에는 이러한 본인의 일거수일투족에 대해서 생각하고 또 생각해서 임해야 한다. 이와 관련되어 실제로 있었던 일 하나를 더 소개하자면, 하루는 면접을 보러 온 면접자가 면접시간보다 너무 일찍 도착해서 해당 건물의 1층 카페에서 커피를 마시면서 기다리고 있었다.

마침 친구에게 전화가 와서 평상시처럼 편하게 웃으면서 면접을 보러 와서 대기 중인데 이 정도 회사가 뭐가 어렵겠냐는 식의 농담을 하고 전화를 끊었다. 면접자 처지에서는 긴장되고 초조한 입장에서 친구에게 본인의 그러한 점을 들키고 싶지 않아서 평소보다 더 과장된 행동을 했을 수도 있다.

그리고 면접자는 면접시간이 되어 회사로 올라가서 면접을 보았다. 결과적으로 그는 면접에서 탈락했다. 면접자가 카페에서 친구와 통화할 때 옆자리에 면접자를 뽑을 팀의 팀장이 앉아 있었던 것이다. 면접자는 당연히 팀장의 얼굴을 기억하지 못했을 것이고 안타깝지만, 팀장은 면접자를 뚜렷이 기억했다.

면접자의 실력이 카페에서 보여 준 한 번의 실수 때문에 제대로 검증도 받지 못하고 끝나버린 것이다. 실제로 그 카페에 앉아있는 사람의 반 이상이 해당 회사의 직원이었다. 회사 내 회의실이 부족해서 외부인을 만나는 시간의 상당 부분이 회사 밖의 카페에서 이루어졌던 것이다. 어느 면접자가 그것을 알겠는가?

본인이 원해서 지금의 회사에 들어왔고 또 좀 더 나은 상황과 환경 속에서 직장생활을 하고 싶다는 가정에 동의한다면, 이 시기가 그만큼 중요하다고 인정해야 한다. 뭐 그렇게까지 해야만 하느냐고 말하는 사람을 설득해서까지

하라고 말하고 싶지는 않다. 다만, 그 필요성을 느끼고 공감한다면 한 번 실천해 보면 반드시 득이 될 것임을 약속한다.

생각하고 또 생각하면서 일하게 되면 회사에서 일어나는 모든 일에 대해서 대단히 민감한 촉이 발달할 수 있다. 회사의 사람이나 정보에 대해서 예전보다 훨씬 더 많이 듣고 볼 수 있다. 그리고 이직한 사람으로서 타인에게 좀 더 겸손하게 보일 수 있다. 성실한 모습은 세대를 불문하고 가장 중요하게 조직생활을 지속해줄 수 있는 핵심요인이다.

그리고 마지막으로 나 자신의 업무방식에 대해서 다시 한 번 점검해 볼 수 있다. 한 조직에서 오래 일하다 보면 그냥 하던 대로, 원래 하는 방식대로 하는 경우가 많다. 새로운 환경에 처했을 때가 과거를 정리하고 미래를 설계하는 적절한 시기이다.

필자가 ISOInternational Organization for Standardization 심사원 자격을 취득하기 위하여 교육과정에 참여했을 때의 일이다. 과정을 이수하고 자격을 따려면 시험을 봐야 하는데 시험 용어가 생소하기도 하고 잘 외워지지 않아서 강사에게 고민을 이야기했다.

강사가 해주었던 조언 중의 하나는 ISO 인증을 위한

자격요건이 있는데 이 자격요건이 왜 만들어졌는지 어떤 이유로 이런 문장을 만들어서 현장에서 실행하라고 했는가를 생각해보라고 했다. 무턱대고 외울 것이 아니라 이 기준을 만들었을 조직이 무엇을 고민했을지를 생각해보면 쉽게 답이 나올 것이라 했다.

그리고 그 말대로 했더니 훨씬 이해가 빨라졌던 기억이 난다. 즉, 회사에 처음 들어가서 다가오는 많은 일 그리고 전임자가 해놓은 일들에는 반드시 이유가 있다. 입사하자마자 고생하며 자료 찾아서 만들었더니 예전 전임자도 비스름한 업무를 이미 해놓았던 사실을 발견하고 허탈해한 경험이 다들 있을 것이다.

생각하고 또 생각해야 한다. 일이 다가왔을 때 이 일이 본인에게 왜 왔는지, 어떻게 처리해야 하는지에 대해서 생각하다 보면 어떻게 조직 내에서 생존할지에 대한 가닥을 잡을 수 있다.

이직코칭

1. 현재 하는 업무를 얼마나 정확히 이해하고 일하고 있습니까?
2. 회사에서 근무할 때 얼마나 정성을 들여서 이메일

을 쓰고 보고서를 쓰고 있나요?

3. 본인이 입사해서 회사의 업무에 대해서 품었던 의문점이 있다면 적어 봅니다.

6.

위기가 닥쳤을 땐 3가지 측면에서 판단하라

회사를 입사해서 생활하다 보면 누구나 위기가 찾아온다. 회사가 나와 맞지 않는 거 같은 느낌, 마치 어울리지 않은 옷을 입은 것처럼 왠지 불편한 기분 그리고 도통 일할 열정이 생기지 않는 상황이 생기는 것이다. 신입이건 경력이건 회사에 입사하자마자 닥치는 위기에 대해서는 시대를 불문하고 경험하는 일이고 어떤 식으로든 처리해야 하는 과제이다.

첫 번째 보고를 했는데 아주 다른 방향이라는 지적을 받았다든지, 철저히 자료를 준비해서 보고했는데 보고받은 상사는 전혀 다른 이야기를 꺼낸다든지 그리고 입사하기 전에 본인이 들었던 일과 실제로 처리해야 하는 일이 많이 다르다든지, 위기는 수없이 많다.

아쉽지만 위기는 본인만이 알 수 있다. 누군가가 당신이 지금 위험하다고 말할 지경이 되었다면 그때는 수습하기엔 훨씬 늦었을 수 있다. 그렇기에 위기는 항상 대비해야 하고 그래서 회사생활에서 촉각을 곤두세우고 있어야 하며 나와 상관없다고 생각되는 회사의 분위기나 문화를 계속해서 알려고 노력해야 한다.

그렇다면 위기가 닥쳤다는 느낌이 들었을 때 무엇을 해야 할까? 위기가 닥쳤을 때 가장 먼저 해야 할 일은 위기를 만든 근본원인이 무엇인지를 파악해야 한다. 위기를 탈피하기 위해 무엇을 할 수 있는지는 그다음 과제이다.

예전에 살던 아파트에서 있었던 일이다. 어느 날 경비실에서 다급히 인터폰으로 연락이 왔다. 이야기인즉슨 우리 집에서 2층 밑의 집에서 물이 새어서 방 하나가 온통 물바다가 되었다고 한다. 필자의 집이 5층이었으니 4층을 건너뛰고 3층 집에서 그 난리가 난 것이다.

순간 들었던 생각은 '아니, 3층에서 문제가 발생하였는데 왜 5층에다가 문의를 하나?'였다. 별로 대수롭지 않게 우리 집에선 그런 징조가 없으니 4층을 먼저 알아보시라고 말하고 끊었다. 그 다음날은 관리실에서 몇몇 기술자를 대동하고 우리 집으로 직접 방문을 했다.

지금 3층과 연결된 모든 층의 집들을 조사하고 있다고 했다. 우리 집에도 물이 새는 흔적이 있는지 직접 확인을 해야 한다고 했다. 사태가 약간 심각해졌음을 알 수 있었다. 처음 경비실에서 연락을 받았을 때는 3층에서 물이 새는데 필자가 할 수 있는 게 뭐가 있지를 생각했다. 기술자가 우리집에 와서 조사하도록 문을 열어주는 것 외에 달리 방법이 없었다.

결과적으로 어이없지만 물은 우리 집의 싱크대 시멘트 밑에서부터 새고 있었다. 수도관 노화로 인하여 부식된 파이프에 균열이 생기고 밑으로 내려가는데 4층을 건너뛰고 3층으로 들어간 것이다. 다행히도 큰 공사는 아니어서 문제가 되는 파이프를 교체하고 3층 집의 원상복구를 돕는 차원에서 마무리되었다.

회사생활에서도 어떤 일이 발생하였는데 나와 밀접한 관련이 없다면 그다지 중요하게 반응하지 않고 넘어갈 것이다. 그런데 이 일이 나와 연관이 되어 있다면 그제야 우리는 그 일을 대처하는 방법을 고민하기 시작한다.

매사 일어나지도 않은 일을 가지고 고민하고 걱정할 필요까지는 없다고 말한다. 그러나 촉각을 세우고 회사 내에서 일어나는 어떤 흐름을 주시하여 파악할 수 있다면 예상치 못한 위기가 발생했을 때 조금은 더 적절하게 대처할 수 있다.

본인에게 닥친 첫 번째 위기에 대해서 우선적으로 해야 할 일은 3가지 측면에서 사태를 파악하는 것이다. 우선 사안의 중요성을 이해당사자를 기준으로 따져봐야 한다. 이해당사자가 많다는 것은 그만큼 이 사태가 널리 퍼져 나갈 가능성이 많다는 의미이기도 하다. 매우 중요한 보고를 위한 보고서인데 방향을 잘못 짚었다. 그런데 이 보고서는 CEO에게 직접 보고되는 자료이다. 그렇다면 이해당사자는 본인과 CEO 그리고 직속상사인 임원 정도일 것이다.

만약 보고서를 준비해서 CEO를 비롯한 임원 10명에게 발표를 해야 한다면 이해당사자는 11명이 넘게 된다. 또한, 이 보고서가 외부의 업체나 관계자에게 공유되어야 한다면 이것은 훨씬 더 숫자가 많아진다는 의미이고 사태가 발생하였을시 수습하기가 더 힘들다고 추측할 수 있다.

두 번째로는 이 일에 있어서 가장 밀접하게 관련된 사람이 누구인가를 알아내야 한다. 밀접하게 관련되어 있다는 말은 이해당사자 중에서도 가장 핵심적인 사람은 누구인가를 파악하는 것이다. 실제로 이 위기 때문에 성과에 대한 평가를 받는 직접적인 대상이 이에 해당된다고 보면 된다.

물론, 이런 점은 실제 현장에서는 보고서를 작성하는 단계 직전에 미리 파악되는 부분이다. 이런 핵심이해 당사자를 고려하지 않고 작성되는 보고서는 알맹이가 없는 내용물일 뿐이다.

마지막으로 위기의 순간에 생각해야 할 부분은 바로 자기 자신이다. 이 위기때문에 가장 많이 영향을 받는 사람은 누구인가? 혹은 이 위기를 역전시켜서 긍정적인 결과를 만들어낼 수 있는 사람은 또한 누구인가?

누구도 본인을 대신해 주지 않는다. 위기를 만든 게 본인이라면 본인이 해결할 수 있는 온 힘을 다해야 한다. 업무의 보고방향이 잘못되었다면 직접 어떤 방향이 맞는지를 해당 상사에게 물어봐야 하고 본인이 일하는 방법 탓에 팀원으로부터 부정적인 피드백이 인사팀에 접수되었다면 인사팀장이나 팀원에게 직접 묻고 적극 대처해야 한다.

위기는 찾아오지만 영원하지 않다. 어떤 식으로든 종료되기 마련이다. 그 시점까지 본인이 할 수 있는 전력을 기울이는 것. 괴롭고 힘든 시간이 될 것이다. 그럼에도 그것이 위기에 대처할 수 있는 최상의 해결책일 수 있다. 그리고 그것에 어떻게 대처하느냐에 따라 이 직장에서의 위기가 기회로 바뀔 수도 있다.

이직코칭

1. 본인에게 닥쳤던 가장 큰 위기를 생각해보고 적어봅니다.
2. 그 위기에서 핵심이해 당사자는 누구였으며 본인에게는 어떤 영향을 미칠 수 있는 위기였나요?
3. 위기를 어떻게 극복했는지 하나하나 자세하게 적어봅니다.

7.

나의 아군은 누구이며 적군은 누구인가

회사생활은 사람과의 관계를 통하여 내가 가진 지식과 경험을 펼쳐 보이는 자리이다. 본인만이 보유한 독자적인 기술이 있지 않은 직장인 대부분이 그렇다. 그렇기에 인간관계로부터 오는 스트레스 때문에 힘들어하고 인간관계로 말미암은 도움으로 기뻐하기도 한다.

그렇다면 회사 내에서 나의 아군은 누구이고 적군은 누구일까? 매우 중요한 고민거리이다. 내가 속한 팀의 팀원이라고 해서 반드시 아군일까? 나와 업무적으로 부딪칠 수밖에 없는 자리에 있는 사람은 나의 적군일까?

필자가 모 기업에 팀장으로 있던 때의 일이다. 회사가

특정 분야의 사업을 확장하려고 하던 시기였다. 어느 날 본부장이 필자를 부르더니 대뜸 이력서를 한 장 내밀었다. 다음 주부터 필자가 데리고 일을 해야 할 팀원이란다. 대체 팀장은 알지도 못한 채 팀원을 뽑는다는 게 말이 되는가?

필자가 어이가 없다는 표정으로 본부장에게 물어보니, 회사에서 아직 공식적으로는 발표되지는 않았는데 해당 사업 분야에 새로운 팀장으로 뽑은 것이란다. 그러니 필자가 속한 팀의 팀원으로 입사하되 조만간 조직개편 때 새로운 팀의 팀장으로 선임될 것이라고 했다. 신규입사자가 팀장이 되기 전까지 조직에 잘 적응할 수 있게 돕는 게 필자의 팀에 그를 배치한 목적이라고 했다. 본부장은 아울러 회사가 돌아가는 사정을 잘 설명해주고 지원해주라고 했다.

그가 입사한 날부터 팀원이 아닌 동료팀장으로서 대했다. 그리고 알고 있는 모든 회사의 정보 심지어 필자만이 알고 있는 회사 내 얽히고설킨 인간관계까지 다 알려주었다. 그는 매일 아침이면 커피를 한잔하자고 다가왔고 하루에 한 번이라도 꼭 그런 이야기를 듣고 가곤 했다.

그러던 어느 날 필자의 팀원 중 신입으로 입사했던 팀

원이 3개월의 수습기간을 제대로 마치지 못하고 회사를 그만둬야 할 상황이 발생하였다. 이유는 수습기간 동안 회사에서 요구되는 최소한의 온라인 교육을 이수하지 않은 것이었다.

가장 기본이 되는 교육으로 시간도 오래 걸리지 않았고 어렵지도 않은 교육이었다. 그래서 왜 이수하지 않았는지 신입 팀원에게 물어보았다. 그런데 신입 팀원의 말이 가관이었다. 이 회사에 대단히 실망하였으며 그렇기에 애당초 회사를 그만둘 생각으로 교육을 이수하지 않았다고 했다. 두말없이 알았다고 팀원에게 이야기하고 바로 인사팀에 관련 내용을 전달하여 퇴사조치를 하도록 조치했다.

그런데 며칠 뒤부터 회사 내에서 이상하게 말이 돌기 시작했다. 그 신입사원이 그만두는 이유는 필자의 팀 그러니까 필자를 포함한 팀원들 모두가 너무 무능하기 때문이란 소문이 돌았다. 그때 즈음부터 신입사원과 필자가 예의를 다해 조직적응을 돕던 예비팀장이 커피숍에서 함께 있는 모습이 자주 눈에 띄었다.

그러던 어느 날, 필자의 입사 동기이자 회사의 요직에 있는 동료 한 명이 필자를 조용히 불렀다. 동기가 대단히 어렵게 꺼낸 말인즉슨, 그 예비팀장이 대표이사에게 필자의 무능력함에 대하여 구구절절이 이야기하는 장문의 이메일을 보냈고 그 내용 안에는 필자의 팀까지 본인이 관장할 수 있는 능력이 있으니 맡겨달라고 했다는 것이다.

그 이야기를 동료가 대표이사에게서 듣고 고민하다가 실제 사실인지를 확인차 비밀스럽게 알려 준 것이다. 뒤통수를 제대로 맞은 셈이었다. 그동안 필자가 고생하여 알게 된 모든 것을 다 알려주었더니 신입팀원의 퇴사를 명분으로 필자와 다른 팀원을 싸잡아서 무능력하다고 이야기를 하고 돌아다닌 주범이 바로 그 예비팀장이었던 것이다.

어이가 없으면서 한 편으로는 웃음이 나왔다. 필자의 팀장 자리가 뭐 그리 대단한 자리라고 그렇게까지 해야 하는가? 대체 회사생활을 어떻게 배웠길래 이런 어리석은 방법으로 처신한단 말인가? 그렇게 대표이사에게 말하면 대표이사가 바로 그 말을 100% 믿을 것으로 판단했단 말인가?

너무 화가 났다. 데리고 나가서 한 대 쥐어박고 싶었다. 대표이사와 면담을 신청했다. 사실관계에 대하여 정확히 이야기했다. 필자의 팀장 역할에 대하여 다시 회사의 판단을 해달라고 요청했다. 퇴사까지 염두에 두고 배수의 진을 쳤다.

그게 연유가 되었든 아니던 필자는 그로부터 몇 달 뒤 회사를 퇴사하였다. 그리고 그 후에 그 예비팀장은 다면 평가나 타 동료 간의 평가에서도 안 좋은 평가를 받아 소리도 없이 회사를 그만두었다는 이야기를 전해 들었다.

이 경험은 필자에게 너무나도 큰 충격이었다. 필자가 그 동안 했던 배신의 경험은 주로 필자를 엄청나게 힘들게 했던 상사가 임금인상이나 평가 시에 필자의 예상보다 낮은 평가를 주었던 경험, 필자가 세운 공을 상사나 타인이 가로챈 경우 혹은 팀원이 자신만의 목적을 위해 필자를 활용했던 경우 같은 어느 조직생활에서나 있을만한 일이었다.

그런데 입사한 지 얼마되지도 않은 사람이, 더욱이 필자와 일면식도 없던 사람이 이유도 없이 필자를 그렇게 안 좋게 몰아붙였다는 것이 충격이었다. 대체 그 사람이 회사생활을 하는 목적은 무엇일까?

회사에서 아군과 적군을 나누는 기준은 없다. 그럼에도 회사생활을 하다 보면 분명 아군과 적군이 생기게 마련이다. 한 가지 확실한 것은 업무를 자주같이 한다고 해서, 많은 시간을 같이 보낸다고 해서 아군이 되지는 않는다는 사실이다.

그렇다면 무엇이 아군을 만드는 가장 수월한 방법일까? 필자를 이용해서 본인이 성공하려고 했던 그 예비팀장을 막을 수는 없다. 그러나 그런 루머가 나돌 때 필자를 판단하는 대표이사나 주변 동료가 최소한 오해하지는 않게 해야 하지 않을까?

결국 실력과 인성이다. 실력대로 맡겨진 업무를 제대로 처리하고 타 부서와의 협력할 때에 지혜롭게 대처하면 그게 쌓여 아군이 많이 생긴다. 물론 그들은 인사권도 없고 평가 권한도 없다. 그렇지만 그들의 말 한마디는 조직 내에서 살아서 움직인다.

그리고 인성이다. 가장 가까운 거리에서 일하는 사람들과의 신뢰는 인성에 많이 좌우된다. 동료가 목마를 때 조용히 제시하는 캔 커피 하나가, 동료가 갑작스레 자리를 비워야 할 때 주저 없이 동료의 일을 맡아주겠다고 말하는 사람에게 신뢰는 쌓이게 된다.

아군과 적군도 결국 본인으로부터 시작된다는 점을 알아야 한다. 목적도 없이 나를 깎아내리려는 사람과 동료가 되었다면 최대한 빨리 떼어내야 한다. 업무적인 거리를 유지하고 인간관계를 최소화해야 하고 오해살만한 대화를 자제해야 한다.

그런 것들만 콕콕 잡아서 먹고 사는 기생충 같은 사람이 조직엔 꼭 있기 마련이다. 사회생활을 하다 보면 깨닫게 되는데 세상은 좁다. 특히 관련 업계에 있다 보면 서로가 한 다리 건너면 알게 된다. 그 예비팀장에 대해서 필자에게 누군가 물어온다면 뭐라고 답을 하겠는가? 채용하라고 하겠는가? 쓰레기라고 하겠는가?

지금 생각해도 쓴웃음이 나오는 아픈 경험이었다. 상황을 제대로 보지 못한 필자의 책임도 크다. 아무리 각박한 회사생활이지만, 최소한 누군가에게 사람은 안되어도 괴물이 되지는 말자.

이직코칭

1. 현 직장에서 위험에 처했을 때 도와줄 수 있는 아군을 적어봅니다.
2. 현 직장에서 특별히 조심해야 하는 적군을 적어봅니다.
3. 적군 중에서 본인의 행동을 변화시킴에 따라 아군이 될 수 있는 사람을 분류해봅니다.

8.

회사를 옮겨야 할 때와 옮기지 말아야 할 때

이제 한 직장에서의 평생고용 시대는 지났다. 이제는 이런 이야기조차 진부하다. 한 직장에 입사해서 신입사원부터 시작하여 승진하고 10년, 20년을 지낼 가능성이 대단히 낮다. 그럼에도 아직도 많은 사람은 오래가는 직장, 정년을 보장해줄 것 같은 직장에 목을 맨다.

사람 심리가 그렇다. 4차 산업혁명 시대가 오고 로봇이 인간의 직업을 대체한다는 무시무시한 통계치가 매일 쏟아져 나오지만, 그럼에도 한 회사에서 오랫동안 버티면서 일하고 싶은 것이 사람의 마음이다.

그러나 객관적으로 예전보다는 지금이, 지금보다는 미

래에, 직장을 더 많이 옮길 가능성이 높다는 점은 부인할 수 없는 현실이다. 이제 확실한 것은 누구든 직장을 잡게 된다면 이직이라는 상황에서 벗어날 수 있는 사람은 거의 없다는 점이다. 그렇다면 회사를 옮겨야 할 가장 적절할 때는 언제일까?

2000년대 초반 직장 초년병 시절에는 369라는 우스개 이야기가 직장인 사이에서 떠돌았다. 3년, 6년, 9년 주기로 회사를 옮기고 싶은 마음이 든다는 소리였다. 실제로 조직생활을 해보니 3년 차에 회사를 옮기고 싶은 마음이 훨씬 더 많이 들었다. 그에 맞춰 헤드헌터도 어떻게 알았는지 연락이 오기 시작했다.

가만 생각해보면 어렵지 않게 추측할 수 있다. 3년 차라고 하면 대체로 신입사원의 티를 벗고 스스로 무언가를 해낼 수 있는 역량이 생겼다는 것을 의미한다. 즉, 내게 주어진 일은 이제 누가 뭐라고 왈가왈부하지 않아도 기본적으로 수행할 수 있다는 말이다.

9년 차 정도 되면 큰 공기업이나 대기업을 제외하고는 보통은 과장급 정도라고 볼 수 있는데, 이때는 주어진 일뿐만이 아니라 스스로 일을 찾거나 만들어서 해 볼 역량이 있다는 것을 의미한다. 회사 혹은 상사가 시키는 일보다는 자신만의 스타일대로 해보고 싶은 업무적인 자신감도 생긴다는 것을 의미한다.

누구든 이유는 있다. 대부분 통계를 보면 회사를 옮기게 되는 가장 큰 요인은 연봉이 아니라 인간관계라고 한다. 필자 또한 전적으로 동감한다. 인간관계는 솔직히 말하자면, 상사와의 관계가 대부분을 차지한다. 회사가 아무리 힘들고 야근이 넘쳐흘러도 상사와의 관계가 좋은 경우, 떠나기보다는 버티는 경우가 많다. 그러나 아무리 좋은 직장이라고 입에 침이 마르도록 칭찬을 하더라도 상사와의 관계가 안 좋다면 그 직장은 지옥인 경우가 많다.

상사하고의 문제는 회사를 옮길 때 고려하게 되는 결정적인 이유 중 하나이다. 왜냐하면, 그것은 시간의 절대량과 관련이 있다. 즉, 내 몸이 근무하는 8시간에 가장 많이 관여하는 자가 누구인가? 나의 퇴근 시간 이후의 정신세계를 가장 많이 침범하는 자가 누구인가를 생각해보면 쉽게 알 수 있다. 코로나 시대라 하자. 언컨택의 시대에 재택근무를 하면서 당신은 누구와 가장 많이 업무와 관련하여 소통하는가?

예전에 재미있었던 텔레비전 광고가 하나 있었다. 내용인즉슨 어떤 장수가 부하들을 데리고 산으로 전진한다. 산위에 무엇이 있는지는 아무도 모른다. '저 산이다. 올라가라' 모두가 아무런 토를 달지 않고 헉헉대며 올라간다. 정상에 도달했는데 장수가 이야기한다. '어? 이 산이 아닌가보다. 내려가라' 그렇게 광고는 끝이 난다.

어디로 가는가에 대한 목적을 뚜렷이 알아야 함을 알 수 있는 광고였다. 중요한 것은 혼자 산에 올랐다면 내려와서 다시 올라가면 된다. 그런데 그게 혼자가 아니라 두세 명 나아가 몇십 명이 넘는 조직이라면 어쩌겠는가? 한 번의 판단으로 얼마나 큰 손해가 발생할 수 있단 말인가? 그래서 조직의 대표는 힘들다. 상사도 힘들다. 만약, 제대로 정신 박힌 상사라면 말이다.

그런데 상사라는 작자가 자기 일을 떠넘기기 일쑤이고 부하직원이 해낸 성과를 자신의 것인 양 훔쳐 가고 업무 외적으로 과도한 일을 시키거나 부당한 지시를 한다면 당신은 어쩌겠는가? 매우 힘든 상황일 것이다. 최소한 이직을 위한 계획을 수립해야 한다. 당장 해야 한다. 매우 중요한 일이다.

이러한 갈등과 고민의 상황에서 필요한 것이 바로 조직에 대한 본인만의 생각이다. 이 곳에서 어떤 것을 얻고 있는가? 이 곳에서 어떤 것을 배우고 있는가? 이 곳에서 어떤 것을 배워갈 수 있는가? 3년 뒤의 나의 모습은 어떨 것인가? 지금 하고 있는 이 고민은 목표를 달성하는데 어떻게 영향을 미치는가? 반드시 이직만이 최선의 답인가?

최소한 이직을 결정하기 전에 위의 질문에 스스로 솔직하게 답을 해야 한다. 자기만의 시간을 가지고 냉정한 현재를 보고 자신을 둘러싼 상황을 바라보는 시간을 가져야 한다.

만약, 모든 질문에 대하여 생각해보았을 때 이 직장은 내게 상당히 좋은 직장인데, 상사가 유일한 문제점이라고 판단이 될 때에는 1년이라는 시간만 버텨보자고 생각해 보는 게 좋다.

상사는 바뀌지 않는다. 사람은 바뀌지 않는다. 당신이 바뀌지 않는 것처럼 상사도 바뀌지 않는다. 1년 동안 바뀌지 않는다는 전제를 인정하되, 그럼에도 앞으로 1년간 이 상사와 일하면 내 경력에 반드시 도움이 된다든지, 이 조직에서 생존해나가는 데 도움이 많이 된다든지, 업계에 발을 붙이는데 도움이 된다든지 무엇이든 좋다. 본인 스스로 설득될만한 무언가를 찾아내야 한다.

인사팀에 재직할 때의 일이다. 나름대로 어려운 관문을 뚫고 입사를 한 A라는 신입직원이 있었다. A가 속한 팀은 회사에서 중요한 역할을 하는 팀이었다. 다른 B라는 후배는 회사에서는 A가 속한 팀에 비해서 조금 덜 중요한 업무를 하는 팀에 속해 있었다. A와 B는 입사 동기였다. 그들이 입사하고 6개월 정도 지난 시점에 필자는 우연히 B와 이런저런 이야기를 많이 나누게 되었고, 그가 퇴사를 생각하고 있다는 말을 들었다. 그와 동시에 A라는 후배도 그런 생각을 하고 있다는 말을 들었다.

겸사겸사 A와 B 후배 두 명과 함께 저녁 식사를 하면서 이런저런 고충을 들었다. A와 B가 회사를 그만두고 싶다는 이유는 자신이 하는 일이 자신에게 맞지 않기 때문이었다. 두 명 모두 팀장이나 동료와의 관계가 크게 나쁘지는 않았지만, A가 좀 더 상사로부터 힘든 업무를 받고 있기는 했다. 두 명에게 같은 이야기를 해 주었다.

"이직은 좋다. 그런데 너희 둘 다 기준이 없다. 어느 쪽 분야의 일을 해보고 싶어서 그만두는 것도 아니고 회사라는 조직을 떠나서 대학원을 가거나 여행을 가겠다는 것도 아니다. 그냥 지금 본인이 처해있는 이 상황이 안 좋다는 것이다. 좀 더 객관적으로 자신의 처지를 생각해 봐라"

그리고 얼마 뒤 A는 회사를 그만두었다. 그를 아는 많은 선배가 아쉬워했다. 현실적으로 입사 후 1년이 지나지 않으면 그 경력은 인정을 받지 못한다. 즉, 다시 신입으로 입사해야 한다. 그 후배가 원했던 것은 더 큰 대기업이었는데 성실하고 책임감 있던 후배라 많이들 아쉬워했다.

B는 필자의 조언을 받아들여 조금 더 있기로 했다. 있으면서 자신이 하는 업무가 실제로 자신에게 맞는지를 생각해보고 그것을 직장이 아닌 직장 외 생활로 어느 정도 충족할 수 있는지를 시도해보았다. B는 그래서 회사 근처의 피아노 학원에 등록하고 퇴근 후에는 피아노를 배우고 밤에는 글을 쓰기도 하면서 자신이 원하는 회사에서의 일과 자신이 하고 싶은 일에 대해서 조금씩 더 알아갔다.

필자는 B가 재직할 때 다른 회사로 먼저 이직을 하였고 후에 B가 다른 직장으로 잘 이직하여 잘 지낸다는 소식을 들었다. 아쉽지만, A는 그때까지 취업하지 못했다는 말도 B를 통해서 들었다.

한 조직 내에서 1년이란 시간은 절대 짧지 않다. 설사, 당신이 최악의 상황에 놓여 있더라도 지금 직장이 가진 가치Value에 대해서 너무 쉽게 생각하지 말아야 한다.

이 직장에 들어오기 위해 얼마나 많은 이력서를 고쳤으며 얼마나 많은 순간을 가슴 졸이며 면접 준비를 하였는지, 입사가 확정되고 나서 처음 출근할 때의 마음가짐이 어떠했는지 생각해보라. 그 정도의 노력을 감수하고서라도 나는 지금 이곳을 떠나야 하는 이유가 무엇인가?

이직코칭

1. 본문의 질문에 답을 한 후 자신의 상황에 맞는 질문을 3개 선택합니다.
2. 앞으로 1년간 질문 3개를 어떻게 실행할 것인지 적어봅니다.
3. 언제부터 시작할 것인지 결정하고 실행 방법을 정리합니다.

9.

회사는 나를 얼마나 기다려줄까?

대부분의 기업은 신규인력을 채용할 시 수습기간이라는 조건을 내건다. 수습기간은 보통 3개월 정도의 기간동안 신규입사자가 채용공고에 맞도록 일을 잘 하는지를 검증하겠다는 공식적인 회사의 입장이다.

또한 신규입사자가 조직에 잘 적응하는지 혹시 이력서나 면접시에 발견하지 못한 결격사유가 있는지를 판단하는 기간이기도 하다. 경력직 같은 경우는 연봉에는 변화가 없는 경우가 대부분이며 큰 문제가 없는 한 그냥 새로운 직장에 적응하는 시간이라고 생각을 한다.

그런데 실제로 3개월 만에 원하지 않은 퇴사를 해야

하는 경우도 있다. 흔치 않지만 3개월 동안의 생활에 대한 다면평가를 시행하는 경우가 그렇다. 신규입사자가 일하는 부서, 직속상사 그리고 주변 동료 및 후배직원의 의견을 객관적으로 취합하고 대표이사의 의견이 더해져서 회사에 부적격하다고 판정되는 경우 아무런 이의 제기없이 퇴사될 수 있다는 점을 연봉계약때 알려준다.

필자는 회사를 이직할 때마다 회사가 얼마나 기다려줄지 꼭 생각해 본다. 실제로 이러한 유예기간에 대한 마음가짐을 가지고 나면 회사생활에 임하는 자세가 좀 더 진지해진다. 물리적인 3개월이란 시간 말고도 한 번의 보고를 잘못 했다면 과연 몇 번이나 회사에서 실수라고 용인해줄까? 그냥 넘어가줄까?란 생각을 하다 보면 보고서 준비를 하는 순간 순간에 집중하지 않을 수 없다.

경험적으로 한 가지는 정확히 알게 되었다. 결코 회사는 본인이 생각하는 것보다 길게 기다려주지 않는다는 점이다. 또한 입사 후 3개월만에 시행한 리더십다면평가 점수가 낮은 팀장급 이상 신규입사자 중 결과에 대하여 이의를 제기하는 경우를 거의 보지 못했다. 솔직히 그 결과를 인정했기 때문이라고는 생각하지 않는다. 스스로의 자존심때문이기도 할 것이고 회사가 본인과 맞지 않음을 이미 알아차렸을수도 있었을 것이다. 이러한 낮은 평가를 받고는 오랫동안 살아남을 가능성이 희박하다는 것을 경력이 있는 사람은 어느 정도 알고 있다고 생각한다.

지난 2018년 6월 월드컵 당시 한국이 속한 F조에는 세계랭킹 1위인 독일을 포함한 멕시코, 스웨덴이 포진되어 있었다. 16강에 대한 희망을 말하기에는 대한민국의 축구 실력이 예전 2002년때보다 높다고 보여지지 않았다.

실제로 경기가 벌어진 결과 첫 번째 상대인 스웨덴에게는 페널티킥을 주어서 아쉽게도 1:0으로 졌다. 스웨덴을 잡아야 그나마 16강에 대한 희망이 있었던 차에 스웨덴전을 지자 국가대표팀의 축구실력에 대한 비판이 쏟아지기 시작했다. 특히, 수비수에 대한 비판은 도를 넘을 지경까지 이르렀다.

두 번째 상대인 멕시코전에서도 2:0으로 지다가 후반전이 거의 끝나갈 즈음에 겨우 한 골을 만회하여 2:1로 패하고 말았다. 패배에 대한 책임을 묻는 수많은 팬들의 원성이 멈출 줄을 몰랐다. 2002년 월드컵의 주역들이 해설가로 활약한 각 공중파 방송도 국가대표팀의 수비력 부재 및 전술 부재에 대하여 아쉬움을 토해 냈다.

왜냐하면 세 번째 상대는 세계랭킹 1위인 독일이었기

때문이었다. 더더군다나 핵심선수 몇 명이 부상으로 경기를 뛸 수 없는 상황이 되었고 16강은 커녕 개망신만 당하지 말라는 쪽으로 여론이 기울 정도였다.

그러나 공은 둥글다고 했던가? 대한민국 국가대표팀은 이 경기에서 독일을 철저하게 방어하면서 속공위주의 공격을 펼쳐 2:0이란 스코어로 압승을 해내고 말았다. 1%의 가능성도 없다고 했던 승리를 해낸 것이다. 대한민국 축구 역사상 월드컵에서 독일을 꺾은 첫 기록이자 아시아 국가로서도 처음인 대기록을 세우고 말았다. 무엇보다도 국가대표팀에 대한 원망과 비난은 최선을 다했다는 응원과 지지로 하룻밤 사이에 바뀌어 버렸다.

이 경기를 보면서 필자가 들었던 생각은 '사회생활도 이런 기회가 있다면 참으로 좋겠다'였다. 어떤 계기를 마련하여서 이렇게 하루아침에 지난 2번의 부진을 말끔히 없애버리고 멋진 팀장으로 다시 불리울 수 있을까? 사회생활에서 그런 일이 가능이나 할까? 매출로 승부를 거는 영업직군은 가능할 수 있겠지만 경영지원이나 매일매일의 일상을 한땀한땀 만들어나가는 일반 사무직은 그런 기회가 거의 없다고 봐야 한다.

물론, 국가대표팀이 독일을 꺾은 것도 중요하지만 그

경기에서 보여 준 지칠 줄 모르고 뛰어 준 투혼을 국민은 높게 샀던 것을 알고 있다. 국가를 대표하여 밤잠 설치고 응원하는 국민을 위하여 온 몸을 아끼지 않고 뛰어 준 국가대표팀의 그러한 열정에 박수를 보낸 것이다.

그렇다면 신규입사자에게 3개월이란 시간은 어떻게 활용되어야 할까? 잘 적응하지 못하거나 업무적인 잘못을 범했다면 이를 어떤 방식으로 회복할 수 있을까? 다시 한 번 말하지만 회사는 오래 기다려주지 않는다. 좀 더 노골적으로 말하자면 직급이 높은 이직자일수록 상사와 대표이사는 더욱 더 오래 기다려주지 않는다.

신규 사업을 한다고 모 기업에 입사했을 때의 일이다. 아직 어느 기업도 해보지 않았던 사업이었고 그렇기에 일 년 반 넘게 공석이던 자리였다. 필자의 실력도 부족했지만 그 회사의 관련 사업에 대한 파악 수준도 그다지 높지 않았던 시기였다.

대표이사로서는 전문가를 영입했으니 믿고 맡기겠다고 했다. 필자로서는 관련분야에서는 전문가였지만 이 사업에는 경험이 없었다. 우선, 회사와 사업을 파악할 시간이 필요했다. 연말이 되어 필자가 1년을 마무리하는 연간사업 보고를 하였을때 대표이사가 필자에게 1년을 기다려주었는데 아직 성과가 없다는 말을 하였다.

말을 듣고 정확히 3개월 만에 회사를 스스로 퇴사하였다. 퇴사를 한 이유는 더 이상 회사가 나를 기다려주지 않기 때문만은 아니었다. 필자 또한 회사를 더 이상 기다려주고 싶지 않았다. 대표이사에게 실망했기 때문이다. 일년이란 시간동안 필자가 이루어 낸 성과와 과실에 대하여 하나하나 잘잘못을 따지고 싶지 않았다.

다만, 이 회사의 대표이사와 일하는 스타일은 맞지 않는다는 것을 사업을 추진하면서 알게 되었다. 감정의 문제가 아닌 이성의 문제였다. 대표이사에게 더 이상 폐를 끼치고 싶지 않다고 짧게 이메일을 보냈다. 최소한 사업추진을 할 수 있는 권한을 준 것에 대한 진심어린 감사를 표했다.

우리는 회사에 돈을 받으면서 우리가 가진 것을 제공한다. 흔한 말로 GIVE & TAKE를 한다. 그러면서 한편으로는 회사의 누구 때문에, 회사의 대표이사 때문에 일을 못하겠다고 떠벌리고 다닌다. 그러면서도 회사를 그만두지는 않는다. 본인에게 물어보자. 과연 그 업무의 주인공은 누구일까?

내가 만약 지금 일하는 그 자리에서 주인공이 되지 못한다면 그 이후부터는 끌려다니게 된다. 필자 또한 그런 직장생활을 10년을 넘게 했다. 그 때는 몰랐다. 그러다가 경력이 쌓이고 팀장급이 되면서부터 가지는 권한과 동시에 책임도 늘어난다는 점을 알게 되었다. 스스로 일하는 그 자리에서 주인공이 될 수 없다면 가능하도록 노력하거나 아니면 다른 기회를 찾아야 한다고 생각한다.

주인공은 주변의 이목을 받는 화려한 자리를 의미하는 것이 아니다. 자신의 노력으로 하나하나 성과를 만들어 갈 수 있는 가능성이 있는 자리, 그 가능성을 바탕으로 조금이라도 개인과 조직이 성장할 수 있는 자리를 만들어가는 사람을 의미한다.

개인적인 여담이지만, 필자가 살아가면서 월드컵에서 대한민국이 4강에 올라갈 거란 생각을 해 본적은 한 번도 없었다. 그리고 세계적인 선수가 가득한 독일을 무실점으로 이길 거라고 생각해본 적도 없었다. 그러나 언젠가 한 번은 기회가 오고 현실이 되기도 한다.

당신이 지금 앉아서 일하고 있는 그 자리에서 회사가 얼마나 기다려줄지를 노심초사하는 것보다 본인이 회사를 얼마나 기다려줄까로 생각을 바꾸고 주도적으로 임한다면 얼마나 멋진 일인가? 진지하게 고민해볼 사안이다.

이직코칭

1. 당신은 현재 회사에서 인정받고 있나요? 증명할 수 있는 사례나 경험을 적어봅니다.
2. 당신은 당신의 업무에서 주인공입니까? 주변인입니까? 이유를 적어봅니다.
3. 당신이 회사라면 당신을 얼마나 기다려 주겠습니까?

부록.

이직 전에 간단히 확인하는 Check List

1. 지금 직장에 처음 입사했을 때의 비전은 무엇이었으며 얼마나 달성되었는가?

2. 지금 직장에서 내가 달성했던 업적에 대해서 하나씩 적어보자. 과연 몇 %나 달성되었는가?

3. 지금 직장에서 내가 추구하는 비전과 목표를 달성하는데 장애요인은 무엇인가?

4. 이직하려는 직장은 지금 직장보다 어떤 점이 더 좋은가?

4-1. 연봉은 어떠한가?

4-2. 복지는 어떠한가?

4-3. 어떤 업무를 하게 되는가?

4-4. 업무의 미래성장 가능성은 어떤가?

5. 이직하려는 직장에 대한 사람들의 평판은 어떠한가?

6. 당신이 이직하려는 진짜 목적은 무엇인가?

7. 이직함으로써 이 고민은 얼마나 해결될 것인가?

8. 지금 직장에 남아있으면서 당신의 고민을 해결하는 방법은 무엇인가?

9. 이직한다고 결정한다면, 당장 닥쳐올 문제점은 무엇인가?

10. 이번 이직은 당신에게 있어서 어느 정도 간절한가?

에필로그

에필로그

이 책의 집필을 시작한 게 2018년 봄이었다. 1999년에 시작한 직장인으로 사는 생활을 마무리하고 커리어생존코치Career Survival Coach로서의 삶을 시작했던 해이다. 당시 블로그에 올렸던 글들이 책의 근간이 되었다.

이 책은 필자의 자서전이다. 여러 시행착오를 거치며 멋지게 회사에서 성공한 적도 있었지만, 책 속에 있듯이 실패한 때도 적지 않았다. 그럼에도 필자의 모든 경험을 이 안에 적어낸 것은 조직생활이란 좋고 나쁜 것도 아니고 옳고 그름의 문제가 아니기 때문이다. 이직을 했건 승진을 했건 조직에 있는 동안에는 좋거나 싫거나 살아 남아야 한다. 그게 조직생활의 핵심이다.

단 한 순간도 가만있지 않고 변화하는 것이 조직생활이라고 생각한다. 그 변화를 주도할 것인가 따라갈 것인가가 필자의 관심사이다. 변화를 주도한다는 것은 자신의 경력을 본인이 원하는 방향으로 끌고 간다는 것이다. 이는 조직에서 원활히 생존해 나간다는 것을 의미한다.

동물의 세계에서는 다치거나 왜소하면 밀려나는게 자연의 이치다. 그게 약육강식의 논리이다. 사람이 모여 있는 조직도 약육강식의 세계이다. 하지만 동물의 세계와 다른 한 가지는 상황을 예측하고 예방할 수 있다는 점이다. 미리 준비하면 할수록 기회도 만들 수 있고 피해도 줄일 수 있다.

이직은 매우 힘든 과정이다. 대부분 멋진 상상과 희망찬 기대를 하고 이직을 한다. 그러나 이직하고 나면 현실이다. 경력직으로 홀로 이직했기에 스스로 여기가 어디인지, 누가 곁에 있는지를 파악해야 한다. 그리고 헤쳐나가거나 도와달라고 소리쳐야 한다.

이 책이 이직할 때의 낯섦과 두려움을 극복하는 데 도움이 되었기를 소망한다. 독자 모두가 멋지게 이직하고 당당하게 생존하기를 진심으로 응원한다. 마지막으로, 이 작업을 하며 내 곁에 있다가 이제는 하늘로 간 사랑하는 코코를 또한 기억한다.

2023년 겨울 캐나다 옥빌에서